그래! 넌 내······ 자랑스러운
최고의 스승님이야!"

"어때? 나 멋있었지?"

Akashic records of bastard magic
instructor

CONTENTS

Akashic records
of bastard magic instructor

변변찮은 마술강사와 금기교전

19

히츠지 타로 지음
미시마 쿠로네 일러스트
최승원 옮김

교전은 만물의 예지를 관장하고, 창조하며, 장악한다.
그러하기에 그것은
인류를 파멸로 인도하게 되리라──.

『멜갈리우스의 천공성』 저자: 롤랑 엘트리아

Akashic records
of
bastard
magic
instructor

Character

Main

시스티나 피벨

고지식한 우등생. 위대한 마술사였던 조부의 꿈을 자기 힘으로 이뤄내기 위해 흔들림 없는 정열을 바치는 소녀.

글렌 레이더스

마술을 싫어하는 마술강사. 만사에 무책임하고 의욕 제로. 마술사로서도 삼류라서 장점은 전혀 없는 셈. 그런 그의 진정한 모습은—?

루미아 틴젤

청초하고 마음씨 고운 소녀. 누구에게도 밝힐 수 없는 비밀을 가지고 있으며 친구인 시스티나와 함께 열심히 마술 공부에 매진하고 있다.

리엘 레이포드

글렌의 전 동료. 연금술로 고속 연성한 대검을 다룬다. 근접 전투에서 비교할 자가 없는 이색적인 마도사.

알베르트 프레이저

글렌의 전 동료. 제국 궁정 마도사단 특무 분실 소속. 신기에 가까운 마술 저격이 특기인 굉장한 실력의 마도사.

엘레노아 샤레트

알리시아의 직속 시녀장 겸 비서관. 하지만 그 정체는 하늘의 지혜연구회가 제국 정부로 보낸 밀정.

세리카 아르포네아

제국 마술 학원 교수. 글렌의 스승인 동시에 길러준 부모이기도 한 수수께끼가 많은 여성.

Academy

웬디 나블레스

글렌이 담당하는 반의 여학생. 지방 유력 명문 귀족 출신. 자부심이 강하고 권위적인 성격의 세상 물정 모르는 아가씨.

린 티티스

글렌이 담당하는 반의 여학생. 약간 내성적이고 체격도 작아서 귀여운 동물처럼 보이는 소녀. 자신감이 없어서 고민이 많다.

기블 위즈덤

글렌이 담당하는 반의 남학생. 시스티나 다음가는 우등생이지만 결코 주변과 어울리려 하지 않는 냉소주의자.

카슈 윙거

글렌이 담당하는 반의 남학생. 덩치가 크고 튼실한 체격. 성격이 밝고 글렌에게 호의적이다.

세실 클레이튼

글렌이 담당하는 반의 남학생. 조용한 독서가. 집중력이 높아서 마술 저격에 재능이 있다.

할리 아스트레이

제국 마술 학원의 베테랑 강사. 마술 명문 아스트레이 가문 출신. 전통적인 마술사와는 거리가 먼 글렌에게 공격적이다.

마술

Magic

—

룬어라고 불리는 마술 언어로 구성한 마술식으로 수많은 초자연 현상을 일으키는
이 세계의 마술사에게 지극히 『당연한』 기술.
영창하는 주문의 구절과 마디 수,
템포, 술자의 정신상태에 따라 자유자재로 형태를 바꾸는 것이 특징.

교전

Bible

—

천공의 성을 주제로 삼은 지극히 아동 취향인 옛날이야기로 세계에 널리 퍼져있다.
그러나 그 소실된 원본(교전)에는
이 세계에 관한 중대한 진실이 적혀있다고 전해지며, 그 수수께끼를 좇는 자에게는
어째선지 불행이 닥친다고 한다.

알자노 제국
마술학원

Arzano Imperial Magic Academy

—

약 4백 년 전, 당시의 여왕 알리시아 3세의 주도로 거액의 국비를 투입해서
설립한 국영 마술사 육성 전문학교.
오늘날 대륙에서 알자노 제국이 마도대국으로 명성을
떨치는 기반을 만든 학교이자, 늘 시대의 최첨단 마술을 배우는
최고봉의 교육 기관으로서 주변 국가에 널리 알려져 있다.
현재 제국의 고명한 마술사 대부분이 이 학원의 졸업생이다.

서장 세리카의 귀환

　—성력전 4000년.

　무수히 많은 돌기둥이 늘어선 타움의 천문신전 앞 광장.

　"……세리카 대체 어디로 사라져 버린 거니?"

　등에 이형의 날개가 달린 하얀 머리 소녀가 붉게 타오르는 하늘 저편을 바라보았다.

　그녀의 시선 앞에는 장엄하면서도 웅장한, 절대적인 압박감으로 군림하는 환영의 천공성이 떠 있었다.

　"당신의 사명은 아직 끝나지 않았어. ……이 세계를 구할 수 있는 건 이제 당신밖에 없다구. 우린 그 목표를 위해 분발해왔잖아. 그러니……!"

　"그게 정말로 당신이 바라는 일이야? 라 틸리카."

　라 틸리카라 불린 하얀 머리 소녀의 뒤에서 새로운 소녀가 등장했다.

　아직 나이도 차지 않은 어린 소녀였다. 어린애라고 해도 무방하리라.

　발밑까지 길게 자란 머리카락, 얼음처럼 투명한 푸른 눈. 여자라고 하기엔 미성숙한 그 몸에 신비한 문양이 새겨진 펑퍼짐한 흰 로브를 걸치고 있었다.

하지만 몹시 어려보이는 외모와는 달리 소녀에게서는 아주 긴 세월을 살아온 인간 특유의 풍격과 관록이 자연스레 묻어나왔다.

"……르 실바."

라 틸리카는 돌아보지 않은 채 벗의 이름을 불렀다.

긴 머리의 소녀, 르 실바는 그런 라 틸리카의 등을 향해 계속 말했다.

"당신은 사실 이대로 돌아오지 않아도 된다고 생각하잖아? 아니야?"

"……그럴 리……없잖아. 난……"

대답하는 라 틸리카의 목소리에는 힘이 없었다.

"미안. 좀 심술궂었지? 어찌 됐든…… 지금 우리가 할 수 있는 건 세리카를 믿고 기다리는 것뿐이야."

"……흥."

라 틸리카가 마음 상한 듯 시선을 돌린 순간.

파직!

불현듯 허공에 푸른 스파크가 튀었다.

"……?!"

라 틸리카와 르 실바는 화들짝 놀라 광장 중앙 쪽으로 시선을 돌렸다.

그 바닥에는 복잡한 무늬의 마술법진이 그려져 있었다.

지금 마력이 주입돼서 불똥을 튀기며 그 법진의 권능이 발동한 것이다.

"이건…… 설마?!"

"그……그 애가 돌아오는 거야?!"

둘은 뭔가를 기대하는 듯한 표정으로 마력이 상승하는 법진을 지켜보았다.

눈앞에서 응축되는 마력은 한없이 계속 상승하고 있었으며 그 여파로 발생한 전류가 똬리를 틀고 주위를 시끄럽게 휩쓸었다.

콰릉!

이윽고 한층 더 강렬한 낙뢰가 치는 동시에 허공에 「문」―《별의 회랑》이 열리더니 거기서 누군가가 내려왔다.

검은색 바탕의 드레스를 입은 그 여성의 정체는…….

"세리카?!"

라 틸리카는 그렇게 외치며 여성, 세리카를 향해 달려갔다.

"무사히 돌아온 거지?!"

"그래, 돌아왔어. 남…… 아니, 이 시대면 라 틸리카인가."

세리카는 담담하게 대답했다.

"그래, 참 길었지. ……난 마침내 돌아온 거야. 내 사명을 이루기 위해."

"……마침내?"

그 말에 라 틸리카가 눈살을 찡그렸다.

"마침내, 라는 게 무슨 소리야? 애당초 그 이상한 옷은 또 뭐고? ……자, 잠깐 기다려봐! 너…… 대체 얼마나 먼 시간대로 날아갔던 건데?!"

"……「보험」을 걸어두길 잘했군. 덕분에 이렇게 다시 싸울 수 있어."

라 틸리카가 물었지만, 세리카는 대답은커녕 오히려 질문을 던졌다.

"……지금 언제지?"

"마왕이 당신을 차원에서 추방하고 그리 많은 시간이 지난 건 아니야. ……사흘 뒤야."

라 틸리카는 그 태도에 당혹스러워하면서도 대답했다.

"사흘인가. ……편차를 고려하면 이게 한계였나. ……**그래도 늦진 않았어.**"

그렇게 중얼거린 세리카는 한 걸음 내딛은 후.

"……그건 그렇고 **다른 녀석들은?** 너희들 말고."

마침 생각났다는 듯 물었다.

"모두 죽었어. 지금쯤 마도(魔都) 어딘가에 매달려 있을 거야. 이제 우리 말곤 아무도 없어."

라 틸리카는 시선을 내리깔고 나직이 말했다.

"……그런가."

그러자 세리카도 어딘지 안타까운 목소리로 중얼거린 후,

"르 실바, 따라와. 가자. 진정한 최후의 싸움을 위해."

르 실바에게 말을 걸고 자리를 뜨려 했다.

"기, 기다려! 세리카!"

그러자 라 틸리카가 황급히 불러 세웠다.

"바빠 죽겠는데 뭐야? 라 틸리카. 일단 말해두는데 넌 여기서 얌전히 있어. 지금의 넌 더는 싸울 수 있는 상태가 아니잖아?"

"그게 아니라! 제대로 설명해!"

라 틸리카는 세리카의 뒤쪽을 가리키며 외쳤다.

"애초에 당신이랑 같이 시공을 넘어 온 저 애들은 누구냐구!"

"……뭐?"

세리카가 뒤를 돌아본 순간, 거기에는 두 남녀가 바닥에 쓰러져 있었다.

저 둘의 이름은…….

"글렌?! 시스티나?! 말도 안 돼! 너희가 왜 여기에?!"

경악한 나머지 눈을 크게 뜰 수밖에 없었다.

너무나도 비현실적인 광경을 목도한 탓에 한순간 머릿속이 새하얗게 변했지만, 뇌가 곧 상황을 정리했다.

"설마 따라온 거야?! 하긴 그 플라네타리움 장치에 내가

설정해둔 좌표대로 날아오면 **이렇게** 되겠지만…… 왜 이런 무모한 짓을!"

세리카는 머리를 감싸 쥐고 신음을 흐렸다.

"왜 오는 건데…… 대체 왜 온 거냐고, 글렌. 네가 이런 지옥에 와버린다면 난 대체 뭘 위해서……!"

라 틸리카는 당황하는 그녀에게 물었다.

"설명해줘, 세리카. 당신이 마왕의 차원 추방을 당한 곳에서…… 대체 무슨 일이 있었던 거야? 이 애들은 대체 누구고."

"……설명하고 있을 시간은 없어."

한동안 입을 다물고 있던 세리카는 차갑게 단언했다.

"현시점에서 마도 멜갈리우스라는 그릇에 담긴 『공물』은 이미 흘러넘칠 지경일 거야. 이젠 마왕이 내일 새벽이 되는 동시에 그 최종 의식을 완수하면 세상은 끝나. ……세계 멸망을 향한 초읽기는 이미 시작됐다고."

"그, 그건 나도 알지만……!"

"하지만 내가 **늦지 않았어.** 그러니 난 갈 거다. 과거와 미래를…… 이 세계의 인과를 잇기 위해. ……뒷일은 부탁하마."

"세리카?!"

"이 녀석들이 정신을 차리면 바로 저 플라네타리움 장치를 써서 미래로 돌려보내줘."

"……미, 미래?"

"장치의 기록을 보면 전송할 시간 좌표를 알 수 있을 거야. 이 시대의 장치는 이미 한계가 왔지만, **딱 한 번뿐**이라면 아직 시공간을 이동할 수 있을 터. 이 녀석에게는 아무것도 알려주지 말고 미래로 돌려보내줘."

"어, 어째서?"

"……알게 하고 싶지 않거든. 내 끔찍한 정체를."

"……!"

라 틸리카가 아무 말도 할 수 없게 되자 세리카는 작게 주문을 중얼거리기 시작했다.

근대(모던)마술의 하위(로우) 룬어에 의한 주문이 아니었다.

훨씬 더 고도의, 더 세련되고, 더 『원초의 소리』에 가까운 언어로 자아낸 주문.

상위 룬어에 의한, 고대(에인션트)마술이라 불리는 그것이었다.

그리고 주문 영창(스펠링)과 동시에 절대적인 마력이 세리카의 온몸에서 뿜어져 나왔다.

글렌이 익히 아는 세리카의 마력이 아니었다.

그것을 아득하고도 압도적으로 웃도는 절대적인 마력이었다.

이윽고 그 마력은 그녀의 주위에 몇 가지 마술법진을 전개했다.

"르 실바, 가자. 내 **하인**이여."

"……알았어. 당신이 그걸로 됐다면."

르 실바가 고개를 끄덕였다.

그리고 세상을 새하얗게 불태우는 빛의 기둥이 솟구쳤고

둘의 몸은 그 빛 속으로 사라졌다.

공간전이 주문.

그야말로 차원이 다른 마력이 이루어낸 마술사의 상식을 초월한 현상이었다.

하지만 그런 놀라운 광경을 목격했음에도 라 틸리카는 오히려 분한 표정으로 안타깝게 중얼거렸다.

"이 정도로 쇠약해지다니…… 대체 그곳에서 무슨 일이 있었던 거니? 세리카……"

한동안 세리카를 걱정하던 그녀는 곧 밑으로 시선을 내렸다.

그곳에는 아직도 잠들어 있는 글렌과 시스티나가 있었다.

"……뭐야. 진짜 뭐냐구. 대체……."

약간 짜증이 섞인 얼굴로 글렌에게 다가간 라 틸리카는 거칠게 그의 몸을 흔들며 외쳤다.

"이봐 당신! 대체 정체가 뭐야! 이제 슬슬 좀 일어나는 게 어때? 이런 곳에서 자지 말고! 괜찮은 거 맞지? 정신 차려!"

흔들흔들. 흔들흔들.

글렌의 얼굴을 들여다보며 난폭하게 계속 흔들어댔다.

"……으……아?"

그러자 흐릿하게나마 의식이 돌아왔는지 글렌이 반응하기 시작했다.

라 틸리카는 계속 쏘아붙였다.

"저기, 당신. 괜찮은 거야?! 아, 진짜 사람 성가시게 하긴!

오늘은 대체 뭐야?! 세리카가 갑자기 돌아오나 싶더니 이런 이상한 인간들까지……!"

하지만 희미하게 눈을 뜬 글렌은 그녀의 얼굴을 본 순간, 이렇게 중얼거렸다.

"……남루스?"

그 말을 들은 라 틸리카는 뺨을 부풀리며 투덜댈 수밖에 없었다.

"……누가 무명(無名)이라는 거야? 무례하긴."

이렇게 성력전 4천 년. 즉, 글렌이 살던 시대로부터 5853년 전의 세상에서 과거와 미래, 이 세계의 인과를 연결하는 하나의 이야기가 막을 올렸다. 이야기가 정해진 결말을 향해 나아가기 시작한 것이다.

————.

그 동화 멜갈리우스의 마법사의 저자 롤랑 엘트리아는 권말에 이런 글귀를 남겼다.

─「이 이야기는 이미 끝난 이야기이며, 결말은 정해져 있다. 결론부터 말하자면 이 이야기에 구원은 존재하지 않는다.」

단장 멜갈리우스의 마법사 I

꿈을— 꿨다.

이제는 아득히 멀고 먼 과거의 이야기.

어느 한 마법사의 이야기를.

————.

 그곳은 저 높은 하늘에 환영의 성이 떠 있는 옛 대도시의 시내 한복판.

 불온하게 술렁이는 민중 앞에서 손을 뒤로 묶고 목에는 밧줄이 걸린 금발 소녀를 태운 말이 병사들에게 끌려 다니고 있었다.

 넝마만 걸친 알몸, 보기에도 끔찍한 상처, 지저분한 행색.

 인간의 존엄성을 잃은 그 가엾은 소녀를 본 민중은 저마다 속 삭였다.

 "저 소녀가…… 이웃나라 로자리아의 왕녀님이라고?"

 "아아, 가엾기도 해라. 불쌍하기도 해라."

 "지난 전쟁에서 로자리아가 당한 꼴이 실로 처참했다더군."

 "백성은 보이는 대로 학살당하고, 왕족은 왕녀 자매만 남기고 거열형이 집행됐다나 봐."

"동생 쪽은 티투스 왕의 눈에 들어서 저 천공성으로 끌려갔다던가."

"그리고…… 언니 쪽은 이렇게 본보기로……."

그들은 처형장으로 끌려가는 금발 소녀를 보고 몸서리를 쳤다.

"아아, 인간이 티투스 님과, 그분의 부하인 여덟 마장성님들을 당해낼 리가 없건만……."

"그분들이 이끄는 건 신조차 해하는 마(魔)의 군대……."

"그분들 앞에서 인간은 모두 땅바닥에 고개를 조아리고 용서를 빌 수밖에 없는 처지이건만……."

"아아, 두려울지어다. 두려운 티투스 폐하……."

모두가 공포와 절망에 휩싸인 얼굴로 소녀를 쳐다보고 있었다.

"……."

고개 숙인 채 조용히 끌려가는 소녀의 얼굴은 산발이 된 지저분한 금발에 가려서 보이지 않았다.

하지만 그들은 분명 공포와 절망과 후회로 일그러져 있으리라 생각했다.

이윽고 소녀가 광장에 설치된 끔찍한 처형기구인 고문 바퀴 위에 올라온 순간, 한줄기 바람이 머리카락을 스치더니 그 아름다운 얼굴과 표정이 적나라하게 드러났다.

"……!"

하지만 예상과는 전혀 다른 모습에 민중들은 일제히 숨을 삼켰다.

그렇다. 소녀는 공포에 질리지도, 절망하지도, 후회하지도 않았다. 그렇다고 모든 운명을 받아들인 순교자의 얼굴인 것도 아니었다.

그곳에 있는 건 단지 격렬한 증오뿐.

오로지 그 한 몸을 불사르는 분노뿐.

누구나가 강대한 폭군의 힘 앞에 굴복해 인간의 존엄성을 포기하고 비참한 삶을 받아들인 시대임에도 소녀만큼은 달랐다.

분명 그것은 아름다운 감정은 아니리라. 하물며 정의와 의분에서 비롯된 건 결코 아니었다.

소녀를 지배하는 건 이 세상을 모조리 불태워버릴 듯한 어두운 감정의 업화였으니까.

하지만 그럼에도 이런 세상에서 오로지 이 소녀만이 이 암흑시대에 굴하지 않고 폭군에게 저항할 의지를, 인간의 존엄성을 유지하고 있었던 것이다.

아이러니하게도 설령 그것이 죽음을 맞이하기 직전의 공허한 저항이라 할지라도.

"마왕! 잘도 내 고향을 멸망시켰겠다! 그리고 내 동생을……!"

소녀는 지옥에서 울리는 듯한 목소리로 원한을 토해내며 하늘 너머를 쳐다보았다.

누구나가 바닥에 고개를 조아리는 와중에도 소녀만이 오연하게 하늘을 올려다보았다.

그 하늘색 눈동자로 저 먼 하늘에 떠 있는 거대한 천공성을 저주하듯 노려보았다.

"절대로 용서 못 해! 난 널 절대……!"

퍽!

그 순간, 분노로 이성을 잃은 처형 집행인의 몽둥이가 오만불손한 소녀의 정수리를 내리쳤다.

다리에서 힘이 쭉 빠져서 바닥에 무릎을 꿇은 소녀.

집행인들은 그런 소녀를 에워싸고 매타작을 했다.

지나칠 정도로 집요하게. 지나칠 정도로 히스테릭하게. 지나칠 정도로 무자비하게. 잔혹하게.

"어디서! 어디서 감히 그런 불경스러운 말을!"

"우리 위대하신 왕을 하필 「마왕」이라고?!"

"불경하다!", "불경하다!", "불경하다!", "불경하다!"

혹시 이대로 처형 집행 전에 죽는 게 아닐까 싶을 정도로 소녀는 흠씬 두들겨 맞았다.

그 끔찍한 광경을 차마 지켜볼 수 없었던 민중들은 시선을 밑으로 내릴 수밖에 없었다.

하지만 그럼에도 소녀는 이를 악물고 하늘에서 시선을 돌리지 않았다.

뼈가 부러지고, 두개골이 깨지고, 피가 튀고, 두 눈이 뭉개져도 고개를 숙이지 않았다.

그저 하염없이 환영의 천공성을 올려다보았다.

이유는 지극히 단순했다.

죽어도 용서할 수 없어서.

가장 사랑했던 가족들을 빼앗고 고향을 멸망시킨, 저 하늘에 기거한 마의 왕이.

하지만 그것은 결국 저항이라 하기조차 변변찮은 공허한 저항이었고, 마침내 소녀의 의식이 점점 멀어지려던 순간.

틱!

갑자기 울린 기묘한 시곗바늘 소리와 함께 세상이 색을 잃고 흑백으로 변했다.

소녀를 구타하던 집행인들과, 주위를 경계하는 병사들과, 민중들의 움직임이 석상처럼 굳어버렸다.

아니, 바로 이 순간 이 세상 모든 것이 마치 얼어붙은 것처럼 정지하고 색을 잃은 것이다.

"……"

그나마 색을 유지하고 있는 건 목숨이 경각에 달한 금발 소녀와, 어느새 눈앞에 서 있는 누군가뿐.

그 누군가는 병적일 정도로 흰 피부와 머리카락, 산호처럼 탁한 붉은색 눈동자, 등에는 이형의 날개가 달린 소녀였다.

그리고 하얀 소녀가 손가락을 가볍게 튕기자, 집행인들과 병사들이 모래처럼 풍화되더니 곧 흔적조차 남기지 않고 소멸했다.

인지를 초월한 힘으로 그렇게 적을 소탕한 그녀는 금발 소녀를 내려다보며 말했다.

"······당신, 인간의 삶을 버리면서까지 「마왕」과 싸울 각오는 있어?"

하얀 소녀의 눈은 마치 유리구슬 같았다.

금발 소녀의 눈을 나락으로 빗댄다면 하얀 소녀의 눈은 「공허」 그 자체였다.

"당신은 더는 살 가망이 없어. 이 얼어붙은 시간이 움직이면 당신은 죽어. 하지만 난 그런 당신에게 그 너머로 이어지는 하나의 길을 제시할 수 있어. 틀림없이 그건 지금 여기서 객사하는 편이 훨씬 행복할 정도로 괴롭고, 고통스럽고, 구원받지 못할 길이야. 하지만 그 고난과 역경으로 점철된 가시밭길을 넘어선다면 당신의 칼은 어쩌면 마왕의 목에 닿을 수······ 있을지도 몰라. 자, 어쩔래?"

도저히 거절할 수 없는 제안이었다.

금발 소녀는 갑자기 눈앞에 나타난 하얀 소녀가 누군지 알 수 없었다.

자신 앞에 대체 어떤 미래가 기다리고 있을지 상상조차 할 수 없었다.

하지만 이대로 끝낼 수는 없었다.

여기서, 고작 이런 데서 끝날까 보냐.

그러니 이것은— 필경 운명이었던 것이리라.

"······계약은 성립됐어."

금발 소녀의 대답을 들은 하얀 소녀는 감정이 드러나지 않는 목소리로 읊조렸다.

"지금 이 시간부로 나 《천공의 쌍둥이(타움)》라 틸리카의 마스터 권

한을 마왕 티투스 쿠뤄에서 당신으로 갱신한다."

그리고 날개를 펄럭이자 거기서 흘러내린 인분 같은 빛의 입자가 금발 소녀의 몸속으로 서서히 스며들어갔다.

그러자 더는 손쓸 수 없는 지경까지 갔던 소녀의 상처가 깨끗하게 사라졌다.

뭉개진 두 눈이 재생되더니 조금 전과는 달리 피처럼 붉은 홍채로 바뀌었다.

그리고 소녀의 안에서도 변화가 일어났다.

그녀라는 존재가 인간이라는 틀을 벗어난 별개의 무언가로 재조립되고 있었다.

인간의 모습을 유지하면서도 인간의 틀을 벗어난 무언가로.

그렇게 금발 소녀를 인외의 괴물로 만든 하얀 소녀가 엄숙한 목소리로 물었다.

"이제 당신의 이름을, 당신의 입으로 말해줘. 나의 주인^{마스터}. 그걸로 이 계약은 전부 종료될 거야."

그러자 금발 소녀가 대답했다.

허공을, 머리 위로 아득히 높은 곳에 있는 천공성을 노려보며 입을 열었다.

"난…… 세리카."

"세리카?"

하얀 소녀가 눈살을 찌푸렸다.

"그게 아니잖아? 당신의 진짜 이름은……."

"세리카, 라고 했어."

금발 소녀, 세리카는 강하게 단언했다.

분노와 증오로 점철된 눈을 천공성에서 한시도 떼지 않고 눈빛만으로 불태워버리겠다는 것처럼.

이때 소녀가 대체 무슨 생각으로 자신의 숙적이 있는 저 공허한 「하늘」을 새 이름으로 삼은 건지는 이제 와선 아무도 알 수 없으리라.

"……알았어."

하얀 소녀는 뭔가를 체념한 듯 한숨을 내쉬었다.

"앞으로 잘 부탁해. 세리카. 난 당신을 도구처럼 이용할 거고, 당신도 날 편리한 무기처럼 사용해도 돼. 나와 당신의 목적은 일치하니까. 즉……."

"……마왕을 죽이는 것."

"흥. 눈치는 빠른 것 같네."

그리고 하얀 소녀는 세리카를 데리고 걷기 시작했다.

"자, 가자. 먼저 당신이 마왕에게 대항할 수 있는 힘을 얻게 해줄게."

―――――.

그런 한 마법사의 길고 긴 여행이 시작되는 광경을 난 꿈에서 보고 있었다.

그런데 어째서 난 이런 꿈을 꾸고 있는 거지?

대체 왜…….

제1장 5853년의 시간을 넘어

"……으……아?"

어느새 꿈이 중지되고 의식이 떠올랐다.

꿈과 현실이 뒤섞인 몽롱한 의식 속에서 글렌은 앓는 소리를 내며 눈을 떴다.

"……여긴?"

몸을 일으키자 그곳은 어느 실내 공간의 침대(비스름한 것) 위였다.

옆에는 시스티나가 누워 있었다. 가슴이 상하운동을 하며 제대로 숨을 쉬고 있는 것으로 보아 아직 의식이 돌아오지 않은 것뿐인 모양이다.

그렇게 시스티나가 무사한 것을 확인하고 안심하는 한편으로는 주위의 상황을 살폈다.

돌로 된 벽으로 감싸인 이곳은 참으로 기묘한 공간이었다.

천장과 바닥에는 천구의를 본뜬 듯한 기하학적인 법진이 몇 개나 그려져 있었다.

방 한가운데에는 글렌의 키보다 훨씬 큰 마정석(魔晶石)이 허공에 떠 있었다. 이런 사이즈의 마정석은 그도 태어나서 처음 보았다.

정면과 좌우의 벽에는 거대한 책장이 있었다. 하지만 거기 꽂혀 있는 건 제본된 책이 아니라 대량의 두루마리^{스크롤}와 석판 이었다.

'……이건 뭐지?'

일어나서 별생각 없이 손에 들었다.

두루마리의 재질은 그가 흔히 쓰는 종이나 양피지가 아니 었다. 식물 섬유를 눌러서 만든 파피루스였다. 석판은 문자 를 새긴 점토판을 구운 것이었다.

'이런 시대착오적인 기록매체는…… 마치 먼 과거의……'

멍하니 그런 생각을 하는 찰나에 불현듯 지금까지의 기억 이 선명히 되살아나며 몽롱했던 의식이 완전히 각성했다.

"그렇군. 난 과거…… 고대시대로 온 건가……."

"……이제야 정신이 들었나 보네."

그 순간, 누군가의 목소리가 들렸다.

시선을 돌리자 거대한 마정석 뒤에서 하얀 머리의 소녀가 모습을 드러냈다.

"남루스!"

"그렇게 부르지 말아줄래? 나한테는 시간의 천사라는^{라 틸리카} 유 일무이한 이름이 있거든?"

남루스, 아니 라 틸리카는 불쾌한 듯 눈을 가늘게 떴다.

"그것보다 듣고 싶은 게 많아."

그녀는 어색하게 뺨을 긁적이는 글렌에게 질문을 던졌다.

"당신은 대체 누구야? 어떻게 날 알고 있지? 애초에 당신은 세리카의 뭔데?"

거기서 자신이 여기로 온 가장 큰 목적을 떠올린 그는 오히려 추궁했다.

"질문할 건 나도 많아! 세리카는 어디 있지? 우리와 거의 같은 타이밍에 이 시대로 왔을 텐데! 그 녀석은……!"

"시끄러워. 좀 진정해."

라 틸리카는 얼굴을 바짝 들이미는 글렌을 손으로 밀었다.

"흥. 아무래도 피차 나눌 이야기가 많을 거 같네."

"으, 음. 그럼 하나씩 정리해볼까……."

그리고 불쾌한 듯 한숨을 내쉬자 글렌은 미안한 얼굴로 선선히 물러났다.

일단 시스티나를 깨운 글렌은 셋에서 돌로 된 테이블 앞에 앉았다.

그리고 라 틸리카가 묻는 대로 대답했다.

본인의 신상과 그가 아는 세리카에 관한 것.

그들이 살던 시대가 미래라는 것.

하늘의 지혜 연구회의 대도사이자 고대부터 존재를 유지해온 마왕에 관한 것.

그 마왕의 암약으로 세상이 사신 소환이라는 위기에 처

한 것.

그리고 페지테를 노리고 다가오는 《최후의 열쇠병단》. ^{울티무스 클라비스}

그런 와중에 자신 앞에서 홀연히 자취를 감춘 세리카.

그녀의 뒤를 쫓아 《타움의 천문신전》 최심부인 대 플라네타리움실에 있던 장치의 숨은 기능을 이용해서 이 시대로 온 것 등을 시스티나와 함께 차근차근 순서대로 설명했다.

"우리 정체와 처한 상황은…… 뭐, 대충 이 정도야."

이야기를 마친 글렌은 라 틸리카에게 시선을 돌렸다.

"그럼 이번에는 이쪽 질문에 대답해줬으면 하는데…… 어, 어라?"

"남루……가 아니라 라 틸리카 씨?!"

글렌과 시스티나는 화들짝 놀랐다.

갑자기 라 틸리카가 몸을 떨면서 고개를 숙여버렸기 때문이다.

"세상에…… 4백 년? 뭐야 그게……. 그 아인 4백 년이나 기억을 잃은 채로 세상을 홀로 헤맸다는 거야? 기억나지도 않는 사명을 이루려고……?"

라 틸리카는 한동안 입을 다물지 못했지만, 곧 손등으로 눈가를 꾹꾹 문지르더니 여느 때와 다름없는 차가운 표정으로 돌아왔다.

"미안, 좀 당황했나 봐. ……계속하자."

"으, 음……"

"아무튼 글렌. 당신이 미래인이고 미래에서 온 세리카의 제자라는 건 알겠어. 그러니 다시 대화를 나누기 전에 하나만 약속해줘."

"그래. 뭔데?"

"더는 나한테…… 아니, 이 시대의 존재에게 미래에 관한 이야기는 하지 마. 절대로."

그렇게 말하는 라 틸리카의 표정에는 반론을 허락하지 않겠다는 단호함이 서려 있었다.

"왜, 왜죠? 좀 더 이것저것 자세히 얘기하는 편이 낫잖아요? 모처럼 저희가 미래를 알고 있는데……."

"……그렇게 하지."

시스티나가 항의했지만, 글렌은 선선히 동의했다.

"피치 못할 상황이긴 해도 확실히 나도 경솔했군. ……내가 너한테 맘대로 떠들어대는 건 위험하지만, 네가 나한테 말하는 건 문제없다고 이해하면 되나?"

"역시 세리카의 제자네. 눈치가 빨라."

둘이서만 납득한 모습에 시스티나는 불만스러운 듯 입술을 삐죽 내밀었다.

"흠, 그런 거면…… 나도 이것저것 질문해볼까."

물론 첫 질문은 이미 정해져 있었다.

그리고 돌아올 답도 대충 눈치채고 있었다.

지금까지 자신이 걸어온 궤적이 그것을 증명하고 있었으니까.

그러니 이건 그 답을 확인하는 일이었다.

"세리카는 대체 정체가 뭐야?"

"……참 막연하고도 추상적인 질문이네."

라 틸리카는 한숨을 내쉬며 잠시 말을 끊었다.

"하지만…… 당신이 그런 질문을 던진 의도는 이해했어. 좋아. 순서대로 설명할게. 좀 길어질 텐데…… 그건 뭐, 받아들여."

그리고 엄숙한 표정으로 천천히 입을 열기 시작했다.

"일단…… 세리카에 관해 이야기하려면, 그 전에 어느 마술사에 관한 이야기를 할 필요가 있어."

"어느…… 마술사?"

"응. 그 마술사를 모르고서는 세리카를 정의할 수 없으니까."

라 틸리카는 고개를 끄덕였다.

"……먼, 아주 먼 옛날. 이 세계와 다른 어느 이세계에 어느 마술사가 있었어. 그는 과학이 지배하는 그 세계에서 마술을 익힌 극소수의 인물이었지. 그리고 그는 경지에 도달한 끝에 외우주의 사신 중 하나…… 즉, 우리 《천공의 타움》의 마스터가 된 「대도사」였어."

"……!"

"그리고 뭐, 우여곡절 끝에 그가 있던 세계는 허무하게 멸망했어. 그와 우리도 그 세계를 구하려고 필사적으로 노력했지만…… 헛수고였지. 멸망한 이유? 뭐, 어느 세계건 간에 바보는 있는 법이라고 해야 할까? 그냥 그뿐이야. 어쨌든 그는 구하지 못한 그 세계를 버리고 차원수(次元樹)를 통해 이쪽 세계로 넘어왔어. 믿을 수 없겠지만, 원래 이 세계는 마술이 없는 한없이 원시적인 세계였는데…… 그런 이 세계에 처음으로 마술을 알려준 게 바로 그였어. 흐음…… 예를 들면 수비술, 세피로트, 대 아르카나, 룬 문자 같은 마술개념은 당신들 시대에도 남아 있지 않아? 그건 원래…… 이야기가 좀 탈선했네."

라 틸리카는 한숨을 내쉬었다.

"아무튼 그는 이 세계의 사람들을 위해 그 마술의 힘을 마음껏 쓰고 원하는 대로 마술을 가르쳐줬어. 덕분에 지극히 원시적인 생활을 누리던 이 세계의 사람들은 발전을 거듭했고 생활수준도 비약적으로 향상됐지. 뭐, 그 대신 과학 발전이 이상할 정도로 뒤처진 뒤죽박죽인 문명이 돼버렸지만 말야."

그리고 테이블 위에 있는 석판을 집어 들고 쓴웃음을 흘렸다.

"……아무튼 마술적인 발전을 거듭한 이 세계에는 하나의 대국이 생겼어. 어느새 그 마술사는 그 나라의 왕이 되었지. 그리고 그와 우리 《천공의 타움》은 오랫동안 그 나라를, 이 세계를 수호자로서 계속 지켜봤어. 그건 참으로…… 평화롭고 이상적인 세계였어. 마술의 은혜로 병마와 기아로 죽는 사람도 없고 전쟁 때문에 슬픈 일을 겪는 사람도 없는, 누구나가 행복하게 웃을 수 있는 세계…… 과거에 그가 원래 세계에서 꿈꿔왔던 것 같은 세계였지."

그렇게 말한 라 틸리카는 천장을 올려다보고 감회에 젖었다.

"하지만…… 몇천 년 정도 지났을 무렵, 그가 미쳐버렸어. 이제 와선 원인도 알 수 없는 이유로. 다만…… 난 마지막까지 그의 변화를 눈치채주지 못했어. ……알았을 때는 이미 늦은 상태였고."

테이블 위에 올려둔 손을 강하게 쥐었다.

"그는 잇따라 전쟁을 일으켜서 주변 국가들을 점령하고 속국으로 지배했어. 그리고 세계를 완전히 지배한 그는 매일 막대한 수의 인명을 어느 마술실험과 연구의 산제물로써 마음껏 투입했어. 그렇게 세계의 지배구조가 변하자 그와 그를 따르는 극히 일부의 특권 계급인 마술사들이, 그렇지 않은 모든 인간을 가축이나 노예처럼 다루고 지배하는 암흑 시대가 도래했어. 그야말로 현실에 강림한 지옥이었지. 그와 마술사들은 이 자기들만의 모형정원 같은 세계에서 마음껏 마술을 연구해서 급속도로 발전시켰어. ……그야 당연하겠지. 실험체나 산제물이 아무 데나 널려 있는 세계였는걸. 그래. 과거에 현왕이라 칭송받았던 그는…… 어느새 **마왕**으로 영락하고 말았던 거야."

"……"

평소였다면 고대문명 이야기에 흥분했을 시스티나도 역사의 진실에 넋을 잃은 채 경청하고 있었다.

잠시 글렌과 시스티나가 자신의 이야기를 머릿속으로 정리하는 걸 기다렸던 라 틸리카는 다시 입을 열었다.

"자, 그럼…… 이제 본론으로 들어갈게. 뭐, 당연하다면 당연하겠지만. 난 그 마왕에게 정나미가 떨어졌어. 《천공의 타움》의 다른 한쪽…… 내 자매신 레 파리아는 완고하게 마왕을 지지했지만…… 난 그런 쓰레기 같은 미친놈을 더는 꼴도 보기 싫었어! 그야 난 이런, 이런 지옥을 만들려고 그에게 힘을 빌려준 게 아니었는걸! 난 그저……!"

갑자기 분통을 터트린 라 틸리카는 심호흡을 하며 마음을 가라앉혔다.

"……난 마왕의 곁을 떠났어. 그리고 찾아다녔어. ……그 마왕을 타도할 누군가를. 하지만 이 세계의 모든 인간은 이미 마왕의 강대한 힘과 공포 앞에서 육체적으로든 정신적으로든 굴복한 상태였어. 거역할 기개 따윈 눈곱만큼도 없었지. 완전히 이가 뽑힌 가축 이하였어. 그래서야. 그래서 난…… 세리카를 선택했어. 누구나가 마왕에게 굴복하는 와중에도…… 그녀가, 그녀만이 마왕에게 저항했으니까. 설령 그게 육친과 고향을 빼앗긴 증오와 분노에서 오는 파멸적인 적개심에서 기인한 것이라 해도…… 마왕과 싸울 기개를 가진 건 그녀뿐이었어."

괴로운 얼굴로 입을 다문 글렌은 예전에 세리카가 자주 「내면의 목소리」와 「이뤄야 할 사명」에 얽매였던 것을 떠올렸다. 그리고 조금 전에 꾼 꿈의 내용도.

"난 세리카와 계약했어. 외우주의 사신의 대인(對人) 인터페이스인 나와 링크한 세리카는 시간의 멍에에서 해방된 《영원자》가 되었지. 그리고 난 백 년이라는 시간을 들여서 그녀를 단련시켰어. 내가 아는 모든 마술의 비기와 오의를 그녀에게 가르쳤어. 사신으로서의 내가 지닌 권능을, 내《아르스 마그나》를 통해 아낌없이 베풀었어. 그렇게 그녀를 인류 최강의 마술사로 완성시킨 거야."

"……."

"그리고…… 마침내 세리카와 마왕의 싸움이 시작됐어. 길고도 괴로운 싸움이었어. 정말 많은 일들이 있었지. 세리카는 이 세계 방방곡곡을 누비며 마장성들을 비롯한 마왕의 군대와의 싸움에서 연전연승을 거듭했어. 그리고 마침내 마왕의 본거지인…… 마도 멜갈리우스에서 세리카와 마왕의 마지막 결전이 시작됐어. 하지만…… 세리카가 쌓아올린 백 년의 증오와 분노와 마술의 경지로도…… 마왕은 아득할 정도로 격차가 나는 강대한 적이었어. 결론부터 말하자면《시간의 천사》라 틸리카의 힘을 받은 세리카는《하늘의 천사》레 파리아의 힘을 받은 마왕에게 한참 미치지 못했어. 그 최종결전에서 패배한 세리카는 마왕의 마술로 이 차원에서 추방당했어. 이 시대에서 완전히 사라지고 만 거야. 세리카의 완전한 패배로 인류의 마지막 희망이 사라지고 모든 싸움이 끝난 이 세계도 끝나버릴…… 예정이었지만."

글렌이 뒷말을 이었다.

"하지만…… 세리카는 다시 돌아왔어. 이 시대로."

"……맞아."

라 틸리카는 괴로운 표정으로 다시 말했다.

"우리 《천공의 타움》은 그 성질상 시간과 공간을 지배하는 권능을 지녔어. 그런 우리의 권능을 마술로 쓰는 세리카와 마왕의 싸움은 당연히, 필연적으로 시간과 공간의 지배권을 다투는 싸움이 될 수밖에 없어. 그 싸움 끝에 무슨 일이 일어날지는 아무도 몰라. 그래서 **보험**을 걸어둔 거야. 타움의 천문신전, 이 플라네타리움 장치…… 혹시 만에 하나라도 세리카가 이 시대에서 튕겨나갔을 때 귀환할 확률을 조금이라도 올리려고."

"……."

"그다음은…… 당신이 아는 대로야. 글렌. 미래에서 세리카는 당신과 만나고 함께 살다가…… 이 시대로 돌아온 거야. 자신의 사명을 이루기 위해."

글렌이 다시 입을 다물어버리자, 그때까지 조용히 듣고 있던 시스티나가 떨리는 목소리로 말했다.

"저기, 선생님. 이 이야기…… 왠지 익숙하지 않나요?"

"……."

"우리 시대의 사람이라면 누구나 아는 동화 『멜갈리우스의 마법사』…… 정의의 마법사가 사악한 마왕을 해치우고 공주님을 구출하는 그 옛날이야기…….

"……."

"하지만 우린 이제 알잖아요. 『멜갈리우스』의 마법사가 단순한 동화가 아니라는 걸. 일정사실을 기반으로 편찬한 일종의 역사서였다는 걸요."

"……."

"남루…… 라 틸리카 씨의 방금 그 이야기가 사실이라면…… 그 동화의 주인공…… 마왕에게 도전한 「정의의 마법사」의 정체는…… 설마…… 설마?!"

"……세리카는 세리카야. 그 이상도 이하도 아니라고."

그 순간, 글렌의 입에서 튀어나온 말이 시스티나의 동요를 가라앉혔다.

"대충 이해했어. ……그래서? 세리카는 지금 어디 간 거지?"

"말했잖아. 이 시대에 돌아온 세리카가 할 일이라곤 단 하나뿐…… 마왕과의 재전. 요컨대…… 마도 멜갈리우스야."

"마도 멜갈리우스…… 페지테의 터에 존재했었다는 마왕의 영지 말이군. 즉, 위치상으로는 페지테인가."

글렌은 자리에서 일어났다.

"어딜 가려구?"

"뻔하지. 세리카를 쫓아가서 다시 데려올 거다."

"자, 잠깐만요! 선생님!"

글렌이 강하게 선언했지만 시스티나가 황급히 일어나서 만류했다.

"라 틸리카 씨의 이야기를 들으신 거 맞으세요? 지금 아르 포네아 교수님은 이 시대를 지배하는 마왕에게 재도전을 하시려는 거잖아요?!"

"그래, 맞아. 세리카가 사흘 전의 초전에서 성대하게 저질 렀으니 지금 마도 멜갈리우스는 마왕의 군대가 엄중하게 경계하고 있을걸."

"즉, 교수님을 구하려면 전투는 피할 수 없다구요! 그런데 여기가 고대라면 한 가지 중대한 문제가 있잖아요!"

시스티나는 라 틸리카를 힐끔 쳐다보았다.

"혹시나 해서 여쭙는 건데…… 이 시대 마술사들의 마술 은 에인션트 맞죠?"

"에인션트? ……무슨 말을 하는 건지 잘 모르겠는데."

"아~ 그렇겠죠. 이 시대에 이 단어가 통할 리가…… 그 럼……."

그리고 뭔가 혼잣말을 하더니 주문을 영창하고 마력을 끌 어올렸다.

그 마력이 그녀의 술식을 활성화하자 머리 위로 든 손끝 에서 마술법진이 전개되었다.

그것은 미래시대의 근대마술 중에서는 「고도로 세련된 술식」이라는 평을 들을 만한 것이었다.

"이게 저희 시대의 마술식이에요. 이 시대의 마술식과 비교하면 어떤가요?"

술식을 확인한 라 틸리카는 어이가 없다는 듯 말했다.

"어? 뭐야 이 수준 낮은 술식은…… 설마 하이 룬이 아니라 로우 룬으로 술식을 짠 거야? 그럼 완전 『어리석은 자의 송곳니』잖아……."

그리고 글렌을 흘겨보았다.

"지금 장난해? 미래에는 이런 수준 낮은 마술밖에 안 남았다는 거야?"

그러자 시스티나도 만족스러운 표정으로 말했다.

"즉, 그런 거예요. 선생님."

"……."

"이 시대의 마술은 에인션트. 저희가 쓰는 모던과는 차원이 다른 힘을 가지고 있다구요. 그럼 당연히 마왕이나 마왕을 따르는 부하들이 쓰는 마술도 에인션트. 기억을 되찾은 아르포네아 교수님도 분명 에인션트를 쓰시겠죠."

"……."

"그런 에인션트끼리 맞부딪히는 차원이 다른 싸움에 과연 저희의 힘이 통할까요? 방해나 되진 않을까요?"

"……."

"괴롭지만…… 여기선 일단 얌전히 기다린다는 선택지도 존재하지 않을까요?"

시스티나도 괴로운 얼굴이었다.

"걱정하지 마세요! 역사는 이미 확정됐잖아요? 미래의 저희가 여기에 왔다는 건 즉, **그런 거**잖아요? 여기서 기다리기만 해도 전부 다 원만하게 흘러갈 거라구요! 그리고 저희는 사명을 이룬 교수님을 모시고 돌아가면……."

"야."

"앗! 죄송합니다!"

시스티나는 퍼뜩 놀라 입을 가렸다. 더는 미래에 관한 이야기를 하면 안 된다는 말을 떠올린 것이리라.

"후우~."

그러자 라 틸리카가 깊이 탄식했다.

"뭐…… 그건 당신들의 반응을 보고 어렴풋이 눈치챘던 거지만, 그렇구나. ……당신들은 「세리카가 마왕에게 승리한 미래」에서 온 거였어."

"예? 그게 무슨……."

"결론부터 말하자면 그건 이 시대의 이 시점에선 확정된 미래가 아니야. 세리카와 마왕의 승패 여부는 아무도 알 수 없어."

그리고 담담한 목소리로 반박했다.

"예? 어째서요?! 그치만 저희는 실제로 교수님이 승리한 시대에서……."

"야야, 너답지 않구만. 하얀 고양이."

글렌은 머리를 긁적이며 당황한 시스티나에게 말했다.

"아무리 너라도 이 상황에선 머리가 잘 안 돌아가나 보네?"

"예? 선생님까지 대체 무슨 말씀을……!"

"「차원수의 특이점 이론」."

"……?!"

시스티나는 그제야 감이 잡힌 듯했다.

"역사란 건 말이지. 아주 「견고」해. 어지간한 일로는 바뀌지 않아. 예를 들면 내가 너한테 체스로 이기든 지든, 점심 메뉴가 빵이 됐든 시로테가 됐든 역사의 큰 줄기에는 전혀 영향을 끼치지 못해. 일상은, 세상은 아무 변화도 없이 잘 굴러가. 다소의 분기는 역사의 큰 흐름에 간단히 삼켜지기 마련이니 말야. 하지만 그럼에도 역시 훗날의 역사가 크게 변동하는 분기점은 확실히 존재해. 어떤 행위와 사건으로 인해 차원수가 크게 가지를 치고 if의 세계인 평행세계선이 생기는 계기가 되는 지점. 그게 바로 특이점이지."

"트, 특이점상에서는 그 뒤로 분기되는 미래가 확정되지 않는다. 어느 쪽도 동등하게 **존재하는 동시에 존재하지 않으니까**……?"

"이제 기억났나 보군. 그래. 그 말대로야. 내가 너한테 이 시대의 인간에게 미래에 관한 이야기를 하지 말라고 한 것도 그것 때문이라고. ……뭐가 특이점이 될지 알 수 없으니 말이다."

"……!"

"그런데…… 지금 이 시대에는 초특대급 특이점이 존재하잖아? 그래. 세리카와 마왕의 싸움 말야. 이 시대에선 누가 이길지 아직 정해지지 않았거든."

"그, 그럴 수가……."

안색이 창백해진 시스티나에게 라 틸리카가 추가타를 날렸다.

"그리고 이건 더 안 좋은 소식인데, 당신들은 아마 현시점에선 원래 시대로 못 돌아갈걸?"

"예에?!"

"그야 당신들이 돌아갈 미래가 아직 확정되지 않았는걸. 마왕의 시공간 추방 마술로 차원수 어딘가에 무작위로 떨어졌던 세리카의 경우하곤 달라. 확정되지 않은 미래로는 돌아갈 수 없어. 이래서 시공간 전이가 어려운 거야. 미래에서 과거로 가는 건 어찌어찌 가능해도 과거에서 미래로 가는 건 훨씬 더 어려우니까. 하물며 기술적인 문제조차 아니니 뭘 어떻게 해볼 방법도 없고."

"……우리 시점에선 전자도 터무니없는 위업이다만."

글렌은 한숨을 내쉬며 머리를 벅벅 헤집었다.

"아무튼 우리가 원래 시대로 돌아가려면 세리카가 마왕을 해치워주길 빌 수밖에 없는데…… 어때? 남루스. 세리카가 마왕을 이길 수 있겠어?"

"……그걸 지금 물어보기야?"

라 틸리카는 눈살을 찌푸리며 말했다.

"처음부터 세리카와 마왕 사이에는 확연한 실력 차가 있다고 했지? 몇 번을 싸워도 결과는 바뀌지 않아. 세리카는 절대로 못 이겨."

"……!"

"거기다 미래에서 무슨 일이 있었는지는 모르겠지만, 지금 그 애의 힘은 명백히 약해졌어. 간신히 마술사를 자칭할 수준은 되지만, 저래선 백번 싸워봤자 한 번도 못 이겨. ……뭐, 기적이 일어나길 열심히 빌어보든지."

글렌은 그 순간, 전에 페지테의 《비탄의 탑》— 지하미궁 89층에서 세리카가 마황인장(魔煌刃将) 아르 칸과 싸울 때 영혼에 손상을 입은 것을 떠올렸다.

"그, 그럴 수가……!"

시스티나는 절망한 표정으로 아연실색했다.

"그, 그럼…… 저희는 아르포네아 교수님을 돕기는커녕…… 원래 시대로 돌아가는 것조차 불가능하다는 건가요?!"

"안타깝지만, 맞아. 헛수고하느라 고생했어."

하지만 그렇게 빈정거리던 라 틸리카의 표정이 돌연 고통스럽게 일그러졌다.

"이래서 돌아오지 말라고 몰래 기원했던 건데…… 걘 진짜 뭐 하러 돌아온 거냐구……."

글렌은 고뇌에 잠긴 라 틸리카의 얼굴을 잠시 가만히 지켜보았다.

"아무튼…… 이젠 전부 다 끝났어. 세리카는 마왕을 못 이겨. 이번에야말로 정말 완벽하게 살해당할 거야. 영혼조차 남기지 못하고. 그리고 마왕의 지배는 이어질 거야. 이 암흑시대가, 지옥이 영원토록 이어지겠지. 이 세계에서 태어나고 살아가는 모든 이가 마술사들의 가축인 세상의 완성. 그렇게 인류의 미래는 단절될 거야."

"……그, 그럴 수가!"

시스티나가 벌떡 일어났다.

"저, 저희는 이 시대에 계속 머물러 있을 수 없다구요! 아르포네아 교수님을 모시고…… 저희의 시대로 돌아가야만 한다구요! 모두가 기다리고 있는데!"

"뭐, 지금 상황에선 그 **모두**가 기다리는 시대가 올 리 없겠지만 말이지."

라 틸리카는 자포자기하듯 어깨를 으쓱였다.

"뭐, 당신들의 존재 자체가 소멸하는 건 아니니 안심하렴. 세리카가 마왕에게 이길 가능성이 있는 평행세계관은 틀림없이 존재하니까. 단지 이 세계관의 진로가 그쪽이 아닐 뿐. 당신들이 원래 있었던 세계선과 엇갈려 지나갈 뿐. 자세히 설명하긴 어렵지만, 그건 보증할게."

"그, 그럴 수가…… 저, 저는……!"

시스티나가 완전히 낭패해버린 순간.

"관계없어."

글렌이 툭 끼어들었다.

"마왕이니, 세상을 구하느니, 특이점이니…… 그런 거창한 건 나랑 관계없다고. 하지만 이것만은 말할 수 있어. **난 세리카를 구하러 온 거야.** 기다리거나 신에게 비는 나약한 선택지 따윈 처음부터 존재하지 않았어."

"……?!"

"서, 선생님……."

할 말을 잃어버린 라 틸리카와 퍼뜩 놀란 시스티나 앞에서 글렌은 뒷말을 이었다.

"세리카는 내 가족이야. 반드시 원래 세상으로 데려가겠어. 그걸 위해서 그 녀석들은 내 등을 떠밀어준 거였다고. ……이제 와서 포기할 수 없어. 그러니 난 갈 거다. 필요하다면 마왕도 때려눕혀주겠어."

"……."

시스티나는 잠시 어안이 벙벙한 듯 눈만 깜빡였지만, 곧 두 뺨을 세게 두드리고 다시 기합을 넣었다.

"죄송해요, 선생님. ……너무 감당이 안 되는 이야기라 동요했어요. 맞아요. 저흰 교수님을 구하러 온 거였어요. 뭔가

하기도 전에 꽁무니를 빼는 건 저희답지 않잖아요? 가죠, 선생님! 저희가 교수님을 구해드리는 거예요!"

"훗, 이제야 눈이 떠졌나 보네. 파트너. 내 등을 맡기마."

"예!"

그런 식으로 사기를 북돋우며 결의를 다지는 글렌과 시스티나의 모습에 라 틸리카는 조용히 한숨을 내쉬었다.

"……글렌, 당신이 그것이 마왕의 힘과 공포를 모르기에 부릴 수 있는 만용인건지, 아니면 당신들의 무기인 『어리석은 자의 송곳니』가 얼마나 약한지 몰라서 그런 말을 할 수 있는 건지 모르겠지만…… 어느 쪽이든 당신은 결사의 각오로 세리카를 쫓아서 여기까지 왔어. 그리고 인지를 초월한 존재를 상대로 싸우려 해. ……그저 세리카를 위해서."

그리고 슬픈 눈으로 글렌을 바라보았다.

"맞아. 세리카를 위해 이렇게까지…… 그 아인 정말 훌륭한 제자를…… 아니, 가족을 찾아낸 거구나. 아직 확정되지 않은 물거품 같은 가능성의 세상 끝에서. ……그래서 더더욱 난 세리카가 이 세계로 돌아오지 않기를 원했던 거야. ……설령 그게 허락될 수 없는 일이라 해도."

"……남루스?"

글렌이 의아한 눈으로 쳐다보자 라 틸리카는 잠시 고개를 숙이고 뭔가를 고민하다 입을 열었다.

"나도 갈게, 글렌."

"······?!"

그 제안에 글렌과 시스티나는 눈을 휘둥그레 떴다.

"왜 놀라? 원래 부외자에 불과한 당신들이 세리카를 위해 이렇게 나서주는데 나만 가만히 있을 수는 없잖아? 애초에 이건 원래······."

라 틸리카는 고개를 들고 글렌을 똑바로 바라보았다.

"세리카와 나, 둘이서 만들어낸 이야기인걸."

그리고 힘차게 자리에서 일어났다.

"그런데 사실 지금의 난 첫 번째 결전에서 입은 부상으로 힘을 거의 상실했어. 이렇게 겨우 인간의 육체에 가까운 상태를 유지하고 있긴 해도 실제로는 속 빈 강정이야. 《시간의 천사》로서의 권능인 《황금 열쇠》도 이젠 거의 못 써. 지금 내가 할 수 있는 거라곤······."

그렇게 말한 라 틸리카가 왼손을 앞으로 내밀자, 거기서 은빛 입자가 흘러나와 글렌과 시스티나를 향해 쏟아졌다.

이윽고 전신에서 마력이 요동치며 압도적인 만능감이 두 사람의 육체를 지배했다.

"이, 이건······?!"

"놀랐어? 이건 「인간에게 베푸는 존재」인 《천공의 타움》의 권능 중 하나인 《아르스······."

"《아르스 마그나》?! 루미아와 같은 힘!"

하지만 시스티나가 놀란 나머지 먼저 말해버리자, 라 틸리카는 그 자리에서 굳어버렸다.

"……**같은 힘**?"

"앗! 아니, 그게……."

"그래. ……어떤 식인지는 몰라도 당신들의 미래에는 있는 거구나? 그 아이…… 레 파리아가. 기억해두겠어. 그 루미아라는 이름을……."

오싹!

난데없이 살의에 가까운 증오를 뒤집어쓴 시스티나의 몸이 움츠러들었지만, 한편 그렇게 말하는 라 틸리카의 눈빛은 어딘지 모르게 슬퍼 보였다.

"……다시 설명할게. 이 《아르스 마그나》는 당신들 입장에선 그저 마력만 증폭된 것처럼 느껴지겠지만, 실제로는 좀 달라. 간단히 말하자면 당신들의 마술연산 능력을 일시적으로 대폭 증설한 거고, 그 영향으로 영락(靈絡)이 강제로 열린 탓에 마치 「마력이 증폭」된 것처럼 느끼는 것뿐. 뭐, 실제로 마력이 늘어나는 건 맞는데 그냥 마력이 늘어나거나 늘리는 것에 그치는 힘은 아니라는 거지."

"그런데 왜 이 이야기를?"

"솔직히 당신들의 마술은 수준이 너무 처참해. 마왕과 그의 군대에 맞서 싸우기에는 너무나도 약해빠진 무기야. 하지만 길바닥에 널린 나뭇가지도 달인이 손에 쥐면 명검을 든 평범한 검사를 이길 수 있잖아? 내 힘이 당신들을 일시적이나마 그런 달인으로 만들어줄 거라는 뜻."

"으…… 역시 《아르스 마그나》는 굉장한 힘이었군요."

시스티나는 이마에 땀이 밴 얼굴로 감탄했다.

"하, 하지만…… 그런 힘이 있는데 왜 라 틸리카 씨는 아르포네아 교수님의 두 번째 싸움에 동행하지 않으신 거죠?"

"《아르스 마그나》는 그 성질상, 대상을 무한정 강화해주는 만능의 힘이 아냐. 세리카의 마술연산 능력이 그 달인의 경지에 도달했다면 효과가 없어. 그리고 무엇보다…… 걔는 절대로 날 데려가지 않을 거야. 왜냐하면……."

라 틸리카가 오른손을 들어보이자, 글렌과 시스티나는 동시에 숨을 삼켰다.

그녀의 오른손 약지 끝이 반투명한 영체로 변해 있었기 때문이다.

"어? 설마 방금 그걸로……?"

"……말했잖아? 지금의 난 속 빈 강정이라고. 이젠 힘을 쓰려면 내 존재를 깎아내는 수밖에 없어. ……그러니 소중히 써주렴."

그렇게 말한 라 틸리카가 《아르스 마그나》를 해제하자 주위에 가득했던 은색 빛이 전부 사라졌지만, 오른손 약지는 여전히 영체인 상태였다.

"……그래. 협력에 감사하지. 고맙다, 남루스."

글렌은 괴로운 표정으로 고개를 끄덕일 수밖에 없었다.

"……자, 그렇게 정했으면 얼른 출발하자구."

라 틸리카가 한순간 뭔가 말하고 싶은 듯한 기색을 보였지만, 그녀는 곧 등을 돌리고 안쪽 벽을 향해 걸어갔다. 그리고 신비한 문양이 새겨진 석벽에 손을 대고 주문을 외우자 진동과 함께 벽이 일그러지더니 아치형 출입구로 변했다.

그녀가 손짓하는 대로 문을 통과한 너머는 돔 형태의 거대한 방이었고, 그 한가운데에는 낯익은 플라네타리움 장치가 자리 잡고 있었다.

"역시 여긴 천문신전의 최심부…… 대 플라네타리움실인가!"

화들짝 놀란 글렌은 장치와 지금까지 자신들이 있었던 방을 번갈아 보았다.

"잠깐 기다려봐! 그럼 지금까지 우리가 있었던 방은……."

"현실(玄室)이야. 이 유적의 중추."

"진짜?! 아직도 발견 못 한 현실이 이런 곳에 있었다고?!"

"드, 등잔 밑이 어두웠네요……."

시스티나도 뺨에 경련을 일으키며 현실의 출입구를 바라보았다.

그러자 다시 공간이 일그러지며 출입구가 닫혔다.

"잠깐만…… 다시 말해, 여긴 천문신전의 최심부라는 거지?"

"그런데?"

"아차…… 그럼 지상으로 올라가는 데만 며칠은 걸리잖아!"

"그, 그러고 보니! 어쩌죠?!"

글렌과 시스티나가 허둥대기 시작했다.

"쉬, 쉬지 않고 강행군을 하면 2, 3일 안에 겨우 나갈 수 있으려나?"

"무, 무리예요. 혹시 그게 가능하다 해도 그 뒤에 바로 마왕과 싸우는 건······."

"으아아~! 실컷 큰소리쳐놨는데 벌써 이게 뭐냐고!"

"후우~ 당신들 바보야? 그런 무계획적인 꼴로 마왕과 싸우겠다고? ······앞날이 훤하네 진짜."

어이가 없다는 듯 투덜거린 라 틸리카는 플라네타리움 장치 쪽으로 걸어가서 그 옆에 있는 모노리스를 조작했다.

그러자 플라네타리움 장치의 머니퓰레이터가 빙글빙글 회전하고 바닥의 문양에 마력이 주입되더니 그들 앞에 푸른빛으로 이루어진 『문』이 형성되었다.

"당연히 《별의 회랑》을 써야지. 이게 대체 뭣 때문에 있는 건데?"

"······앗!"

"애당초 이 신전 내부의 이동은 기본적으로 이거야. 각 계층에는 『문』을 몇 개나 설치했어. 그렇지 않으면 이런 장소를 거점으로 쓸 수 있을 리 없잖아."

글렌과 시스티나가 금시초문이라는 반응을 보이자 라 틸리카는 계속 설명했다.

"지금 《별의 회랑》을 마도 멜갈리우스에 연결했어. 이 문

을 지나면 바로 목적지에 도착할 거야. ······자, 멍하니 있지
말고 가자."

"으, 음······."

라 틸리카의 말대로 둘은 문을 향해 걸어갔다.

─────.

"······결국 타움의 천문신전과 저 플라네타리움 장치는 대
체 뭐였던 거지?"

《별의 회랑》.

신비하면서도 환상적인 우주 공간 속에서 빛으로 이루어
진 한줄기 길을 따라 걷던 글렌이 앞서가는 라 틸리카에게
물었다.

"간단히 말하면 마도 멜갈리우스 공략을 위한 우리의 전
선기지야."

라 틸리카는 걸음을 멈추지 않고 설명했다.

"마왕의 거점이 어딘지 알아?"

"······그야 구(舊)페지테······ 마도 멜갈리우스 아닌가?"

"맞아, 그 말대로야. 마왕은 그곳에 있는 《비탄의 탑》 최
심부에 있어."

"······《비탄의 탑》."

글렌은 알자노 제국 마술학원 지하에 있는 광대한 지하미

궁을 떠올렸다.

미래에 구전된 그곳의 명칭이 바로 《비탄의 탑》이었기 때문이다.

그리고 전에 읽은 『알리시아 7세의 수기』에서도 지하 89층 《예지의 문》 너머에 마왕의 거점이 있음을 시사했을 터.

"하하. 즉, 마왕이란 놈은 땅 깊숙한 곳에 숨어있다는 건가. 틀림없이 난 동화에서 나오는 것처럼 천공성에 떡하니 버티고 있을 줄 알았는데 말이지."

"예. 그 부분은 동화의 내용과는 좀 다른가 보네요."

"……뭐? 당신들, 그건 또 무슨 소리야?"

라 틸리카는 의아한 눈으로 고개를 갸웃거렸다.

"아무튼 이 타움의 천문신전과 플라네타리움 장치는 그 《비탄의 탑》을 공략하기 위한 거야. 과거에 이 신전의 무녀장이었던 스텐나 루이센이라는 여자가 마왕을 배신하고 우리 쪽에 붙었거든."

"스텐나…… 루이센?"

어디선가 들어본 듯한 성이었다.

"응. 공간계열 마술에 관해선 역사상 손꼽히는 천재였던 그녀가 세리카와 합작해서 만든 게 바로 이 장치와 《별의 회랑》이야. 우린 이 장치 덕분에 《비탄의 탑》 내부에 귀환 지점을 계속 만들어가면서 조금씩 공략을 진행했어. 비탄의 탑 지하 10층부터 49층인 《어리석은 자에 대한 시련》은 제로마나 지대와 던전 재생성 기능과 당대 최고 수준의 방어 시스템이 맹위를 떨치는 난공불락의 영역이었지. 인류 최강의 마술사였던 세리카도 이 《별의 회랑》 없이는 《비탄의 탑》을 공략하지 못했을 거야."

"……그런 거였군."

타움의 천문신전이 마술학원의 지하미궁과 《별의 회랑》으로 연결된 이유가 이렇게 밝혀졌다.

"그, 그럼…… 이 《별의 회랑》으로 《비탄의 탑》 최심부로 직접 갈 수는 없는 건가요?"

"지난 싸움 때 《비탄의 탑》 내부에 설치한 귀환 지점은 대부분 적에게 파괴당했어. 뭐, 그때 《어리석은 자에 대한 시련》의 방어 시스템도 어찌어찌 무력화했으니 결과적으론 무승부인 셈이지만. 귀환 지점과 방어 시스템에 자동수복 기능이 있긴 하지만, 완전히 고쳐지려면 오랜 시간이 필요해. 그러니 이젠 직접 쳐들어가는 수밖에 없고, 그 기회도 지금밖엔 없는 셈이지."

"……그렇군."

글렌은 머릿속에서 지금까지 누락되어 있었던 수수께끼의 퍼즐조각이 하나씩 채워지는 것을 느꼈다.

그러는 사이에 어느덧 출구가 보이기 시작했다.

"저기로 들어가면 마도 멜갈리우스야."

앞서가던 라 틸리카가 둘을 돌아보며 말했다.

"각오는 됐어?"

"그래."

"무, 물론이죠!"

글렌이 가볍게 고개를 주억였고, 시스티나는 긴장한 얼굴로 연신 고개를 끄덕였다.

"……좋은 표정이네. 그럼 가자."

라 틸리카는 그렇게 말하며 태연하게 출구로 들어갔다.

글렌과 시스티나도 그 뒤를 따랐다.

그러자 눈앞이 새하얗게 물들고 경치가 일그러지며 의식이 멀어지는 듯한 감각이 엄습했지만, 곧 아지랑이처럼 일렁이던 시야가 정상으로 돌아왔다.

"……?!"

그리고 일행 앞에 펼쳐진 광경은――.

단장 멜갈리우스의 마법사 Ⅱ

꿈을— 꿨다.

이제는 아득히 멀고 먼 과거의 이야기.

어느 한 마법사의 이야기를.

————.

백 년.

세리카가 《천공의 타움》과 계약을 맺은 지 백 년의 세월이 흘렀다.

백 년이라는 시간은 너무나도 길었다.

이제 그녀를 기억하는 이는 아무도 없었다.

하지만 그녀 안에서 타오르는 증오와 분노의 불길은 아지도 사

그라들 줄 몰랐다.

그리고 백 년의 수련은 그녀를 최강의 마술사로 성장시켰다.

그렇게 전 세계를 누비는 장대한 여정이, 백 년 동안 쌓은 원한

을 풀기 위한 싸움이 막을 올렸다.

그 불꽃은 머지않아 전 세계를 불태웠다.

그것은 마왕과 마술사들에게 복종하고, 일방적으로 학대당하

는 삶밖에 모르는 민중을 구원하기 위한 싸움은 결코 아니었다.

그저 개인적인 복수였을 뿐.

세리카는 마왕을 증오했다. 마왕 측에 가담한 자들을 증오했다. 이 세상을 증오했다.

그러하기에 싸우고, 멸망시키고, 유린했다.

그저 지금까지 쌓이고 쌓인 울분을 푸는 행위에 불과했다.

하지만 그것이 설령 파멸적인 원초의 감정이 등을 떠민 처참한 싸움이라 할지라도.

세리카가 처음으로 마왕군의 요새 하나를 함락시킨 순간, 시대가 움직였다.

인간은 마왕의 가축. 먹이.

인간은 마술사의 도구. 장난감. 산제물.

그런 상식과 구조가 천 년 만에 무너진 것이다.

지배하는 쪽도, 지배당하는 쪽도 당연하다고 여겼던 마술사가 아니면 인간이 아니라는 진리가 처음으로 흔들린 것이다.

틀림없이 그것은 이 뒤틀린 세계를 부정하는 세리카의 의지였다.

————.

하지만 인간이 인간 이하의 가축처럼 학대받은 시간은 너무나도 길었다.

그리고 희망의 등불로 삼기에 세리카의 힘은 너무나도 강대했다.

그렇다. 그들에게 있어 세리카는 마왕이나 별반 다를 바 없는 존재였던 것이다.

그녀는 그녀대로 증오와 분노에 몸을 맡긴 싸움밖에 할 줄 몰랐다.

인간을 지키기 위한 싸움은 단 한 번도 하지 않았다.

백 년이라는 세월은 세리카의 모든 근원을 인류의 기억에서 지워버렸다.

세상에서 그녀의 흔적을 깨끗하게 지워버리고 만 것이다.

그녀는 고독했다.

친구도, 가족도 없었다.

아무도 모르는 세상에서 외톨이가 되어 있었다.

이미 이 세상과 섞일 수 없는 이분자는 오직 그녀만을 가리키는 말이었다.

그러하기에 세리카를 이해하지 못한 사람들은 두려움에 떨며 저마다 이리 외쳤다.

—세리카는 「새로운 마왕」이다.

—세리카는 「제2의 마왕」이다.

—세리카는 「마왕의 후계자」다.

그런 온갖 비방을 쏟아내며 누구나가 그녀를 두려워했다.

세리카의 싸움이 얼마나 많은 인간을 가축이나 노예의 운명에서 해방한들 조금도 영향을 끼치지 못했다.

그녀에게 향하는 감정은 언제나 공포와 혐오감뿐이었다.

그녀를 「정의」라 여기는 인간은 단 한 사람도 없었다.

세리카나 마왕이나 그들에게는 똑같은 악당에 불과했으므로.

하지만.

그럼에도.

세리카는 멈추지 않았다.

마왕의 군대와 계속해서 싸웠다.

가슴을 태울 것 같은 충동에 몸을 맡긴 채.

마왕의 밑에 붙은 지배 계층, 마술사들을 보이는 족족 죽여버렸다.

멈추지 않고 계속해서 막대한 시산혈해를 쌓아올렸다.

"그게 바로 나니까."

세리카는 오늘도 싸우고 있었다.

오늘의 사명은 마왕을 섬기고 국민을 총동원해서 주변 국가에 적극적으로 노예사냥을 벌인 막장 국가 요토의 완전 섬멸과 초토화.

그리고 그 요토를 뒤에서 조종한 마장성 뇌정신장(雷霆神將) 발 보르를 해치우는 것이었다.

그녀는, 멈추지 않았다.

모든 것을 불태울 때까지.

그런 그녀에게 과연 구원이 찾아올 수 있을까?

....

변변찮은 마술강사와 금기교전 19
© Taro Hitsuji, Kurone Mishima 2024
KADOKAWA CORPORATION
[NOT FOR SALE]

제2장 마도 멜갈리우스

"선생님, 선생님! 괜찮으세요? 선생님!"

"……?!"

귀를 찌르는 듯한 시스티나의 목소리에 꿈속을 헤매던 글렌의 의식이 현실로 복귀했다.

"큭!"

"목적지에 도착했어요. 왜, 왜 그러세요? ……《별의 회랑》에서 나오셨을 때부터 왠지 표정이 멍하시던데……."

시스티나는 걱정스러운 눈으로 글렌의 얼굴을 들여다보았다.

"아, 아니…… 괜찮아. 문제없어."

고개를 흔드는 그의 뒤에는 신비한 검은 돌로 만들어진 모노리스가 있었다. 이게 바로 《별의 회랑》의 귀환 지점인 것이리라.

글렌은 아직도 머릿속에서 불쑥불쑥 떠오르는 어느 마법사의 기억을 떨쳐내며 앓는 소리를 냈다.

'처음보다 선명했어. ……이 꿈은 대체 뭐지?'

심호흡으로 마음을 가라앉히고 고개를 들자 눈앞에 펼쳐진 광경은……

"이, 이건……!"

글렌은 시야를 가득 채운 그 광경에 넋을 잃었다.

자신들은 어딘가 높은 건물 옥상의 난간인 듯한 장소에 서 있는지 세찬 바람이 머리카락과 옷을 마구 뒤흔들었다.

밑에는 태어나서 처음 보는 신비한 도시의 풍경이 펼쳐져 있었다.

도시를 구성하는 건축양식이 미래와는 전혀 달랐다. 대다수가 사다리꼴 형태의 원시적인 석조 건물이었고, 군데군데 있는 둥근 지붕의 첨탑과 종루와 돌기둥이 늘어선 신전도 세련되지 않은 투박한 디자인이었다.

하지만 토지의 형태와 시내를 가로지르는 강의 위치는 확실히 익숙했다. 여기가 틀림없이 과거의 페지테라는 증거였다.

이어서 시선을 사로잡은 것은 일정한 법칙성을 갖고 세웠다는 것이 느껴지는 수많은 오벨리스크였다.

그것들은 주위에 있는 건물들과 비교하면 마치 탑처럼 거대했다.

'……뭐지? 저 오벨리스크…… 왠지 이상하게 작아 보이지 않아?'

하지만 왠지 모를 위화감을 느꼈던 글렌은 곧 그 원인을 찾아냈다.

'……저, 저게 뭐야……'

도시 중심부. 지형을 봐선 미래에 알자노 제국 마술학원이 세워지는 위치에 기묘한 물체가 있었다.

사각추 형태의 석조 건물이다. 디자인 자체는 다른 건물들과 마찬가지로 원시적이었고 거대한 직육면체 형태의 돌을 쌓아서 만든 듯했다. 안에는 층이 나눠져 있는 건지 마치 계단 같은 외견이었다.

조금 전까지만 해도 오벨리스크들이 이상하게 작아 보였던 이유. 그렇다. 그건 바로 저 건조물이 너무나도, 지나칠 정도로 거대했기 때문이다.

'설마…… 저게 페지테의 지하미궁 《비탄의 탑》이라고?! 페지테 밑에 저런 게 묻혀 있었다는 거야?! 사, 상식적으로 생각해도 너무 크잖아!'

그렇다. 하늘을 찌르고 대지를 굽어살피는 것처럼 우뚝 솟은 저 건조물이 너무 큰 탓에 원근감이 망가진 것이다.

거리상 분명 멀리 떨어져 있을 텐데도 마치 바로 눈앞에 있는 것 같은 착각이 들 정도였다.

그리고 고개를 들자, 마침 태양이 중천에 뜬 하늘은 피로 칠한 것처럼 새빨갰다.

오늘이 세계 최후의 날이라도 해도 믿을 정도로 새빨갛게 타오르는 하늘.

그리고 그런 파멸적인 광경 한편에는 익숙한 환영의 천공성이 유구한 세월을 넘어 왔음에도 변함없는 그 위용을 대지에 과시하고 있었다.

"이…… 이것이……!"

글렌은 눈앞에 펼쳐진 비현실적인 광경에 그저 압도되었고.

"……아…… 아아…… 굉장해……."

시스티나도 지금 자신이 그토록 동경했던 시대에 와 있다는 것에 감동하며 입을 다물지 못했다.

"그래. 이게 바로…… 마도 멜갈리우스."

하지만 라 틸리카는 밑을 내려다보며 담담한 어조로 말했다.

"이 세상 모든 부귀영화와 번영의 정점이자, 이 세상의 모든 비탄과 절망의 응집체인…… 최저 최악의 「지옥」이지."

그리고 시스티나를 힐끔 쳐다보았다.

"시스티나. 우린 이제부터 저 도시로 내려갈 건데…… 혹시 이 시대에 뭔가 꿈이나 환상 같은 걸 품었다면 당장 쓰레기통으로 던져버리렴."

"……예?"

시스티나는 눈을 끔뻑였다.

"내가 말했지? 여긴 「지옥」이라고. 오로지 인간의 악의와 어두운 면만이 지배하는 세상. 인간의 양심과 상식은…… 이곳에선 아무것도 통하지 않아."

"……?!"

그러자 시스티나도 그제야 왠지 모르게 들떴던 기분을 다 잡았다.

"그……그럴게요."

표정을 굳히고 고개를 끄덕였다.

"그래서? 남루스. 우리는 이제부터 뭘 하면 되는 거지?"

"흐음, 일단 주위에 있는 시체에서 적당히 옷을 벗겨와. 당신들의 그 복장은 너무 눈에 띄니까."

"……뭐?"

아무렇지 않게 튀어나온 시체라는 단어에 글렌과 시스티나는 눈을 휘둥그레 뜰 수밖에 없었다.

"뭐. 혹시 시체가 없을까봐 불안해? ……안심해. 여긴 마도. 벗겨 먹을 시체는 어디에나 굴러다닐걸."

"아니, 그게. 그쪽이 아니라…… 시체? 시체라는 게 무슨 소리야?"

"그, 그리고…… 시체에서 옷을 훔치라니요!"

그런 두 사람의 반응에 라 틸리카는 진심으로 어이가 없다는 듯 한숨을 내쉬었다.

"……저기, 당신들. 아직도 그런 미적지근한 소리가 나와? 몇 번을 말했잖아? 여긴「지옥」이라고."

"……?!"

라 틸리카의 지적에 둘은 다시 숨을 삼킬 수밖에 없었다.

"세리카를 구하기 위해 지옥을 걷기로 했잖아? 그럼 그만큼 마음을 굳게 먹으라구."

그녀는 등을 돌려서 건물 안으로 들어갔다.

"……."

"……."

긴장한 표정으로 잠시 서로의 눈을 쳐다보던 글렌과 시스티나는 서로를 격려하듯 고개를 끄덕인 후 라 틸리카의 뒤를 따랐다.

————.

"여기가 지옥? ……웃기고 있네."

무심코 말이 튀어나왔다.

"차라리 지옥이 낫겠다."

하지만 그 말은 이 마도, 혹은 이 세상의 상황을 무척 정확히 표현하고 있었다.

먼저 시내 여기저기가 반쯤 무너진 상태다.

불에 탄 흔적과 거대한 구덩이들.

구역이 하나 통째로 무너진 곳도 있었다.

그것이 사흘 전에 있었다는 세리카와 마왕의 부하들의 사이에서 벌어진 치열한 시가전의 흔적임은 상상하기 어렵지 않았다.

하지만 솔직히 문제는 그쪽이 아니었다.

라 틸리카의 말대로 옷을 벗길 시체는 금방 눈에 띄었다.

뒷골목을 잠시 걸으면 백골이 된 시체가 어디에나 평범하게 굴러다녔고, 쓰레기를 버리는 곳에는 아주 당연하다는 듯 시체가 쌓여 있었다.

글렌과 라 틸리카는 눈물을 글썽이며 필사적으로 구토를 참는 시스티나를 격려하다가 찾은 망토를 각자 걸치고 얼굴이 보이지 않도록 후드를 깊이 눌러썼다.

그리고 뒷골목에서 나와 라 틸리카가 가자는 대로 시내를 걸었다.

거기서 가장 먼저 본 것은 길 여기저기에 세운 장대에 걸린 무참한 시체, 시체, 그리고 또 시체. 그래서 시선을 내려도 눈에 들어오는 건 길바닥에 방치된 시체, 시체, 그리고 또 시체뿐이었다.

아직 10분도 안 걸었는데 처형장을 벌써 세 번이나 지나쳤다.

심지어 방금 지나친 처형장에선 바로 조금 전에 처형이 집행된 건지 인간의 원형을 유지하지 못한 피투성이 시체가 기묘한 바퀴에 거꾸로 묶인 채로 높이 매달려 있는 것이 멀리서도 보였다.

하늘 위에서는 까악까악 시끄럽게 울어대는 까마귀들이 번갈아 시체의 살을 쪼아먹고 있었다.

시내 어디를 가도 피와 시체 썩는 냄새가 가득하다.

그리고 주위를 오가는 사람들의 눈은 시체보다 더 죽어 있었다.

삐쩍 마른 몸으로 등을 둥글게 말고 고개를 숙인 그들은 모든 것에 절망하고 체념한 듯한 표정으로 마치 유령처럼 시내를 이리저리 배회하고 있었다.

글렌과 시스티나는 구역질을 참으며 십자로를 지나쳤다.

그러자 곧 광장에서 마차가 끄는 거대한 이동식 우리 같은 것이 눈에 들어왔다.

그 안에는 사슬에 묶인 소년소녀들이 몸을 움츠린 채 무릎을 끌어안고 있었다.

그 앞에서는 노예상인인 듯한 뚱뚱한 남자가 의기양양하게 뭔가 떠들어댔고, 유복해 보이는 남녀들 — 로브를 걸친 것으로 봐선 아마 마술사들 — 이 모여서 우리 앞에서 시끄럽게 조잘거리며 경매를 하는 듯했다.

아악!

갑자기 들린 단말마에 글렌이 고개를 돌리자, 날붙이를 손에 든 넝마 차림의 소년이 피를 흘리며 쓰러진 남자로부터 뭔가를 훔치고 잽싸게 달아나는 모습이 보였다.

살인 현행범. 페지테였다면 큰 소란이 벌어졌으리라.

하지만 주위의 사람들은 전혀 관심이 없었다. 이젠 익숙하다 못해 질렸다는 듯 새로 생긴 시체에는 눈길조차 주지 않았다.

살해당한 남자도 이제야 겨우 고통스러운 삶이 끝났다는 듯 만족스럽게 눈을 감는 판국이었다.

"······우, 읍."

시스티나는 새파래진 얼굴로 입을 가리며 필사적으로 평정심을 유지하려 했다.

예전의 그녀였다면 이 충격적인 광경을 보고 이성을 잃거나 울음을 터트려도 이상하지 않았겠지만, 꿋꿋하게 견뎌냈다.

'······정말 강해졌구나.'

글렌도 솔직히 칭찬해주고 싶었지만, 사실 그런 여유는 없었다.

이런 최악의 광경을 본 그 역시 머리가 이상해질 것만 같았기 때문이다.

"······쉿! 그러고 있으면 안 돼."

그러자 앞에서 넝마를 걸친 채 걷고 있던 라 틸리카가 낮은 목소리로 경고했다.

"밑을 봐. 절대로 위를 보지 말고. ······그런 생기 있는 눈을 하고 있으면 마왕의 병사들에게 찍혀."

그렇게 말한 그녀의 입에서 침이 마르기도 전에 일행은 긴 방패와 예식용 지팡이를 든 집단과 마주쳤다.

아마 저게 마왕의 병사들인 것이리라. 일반인과는 행색 자체가 달랐다. 이 시대치고는 고급인 로브를 걸치고 윤기가 자르르 흐르는 얼굴로 거만하게 시내를 걷고 있었다.

스쳐 지나가는 순간, 글렌과 시스티나는 한껏 긴장했다.

하지만 더러운 넝마 덕분인지 병사들은 일행을 마치 오물이라도 되는 것처럼 흘겨보기만 하고 그대로 지나갔다.

'방금 저 녀석들의 마력…… 전원이 꽤 숙련된 마술사들이었어.'

마술로만 싸운다면 자신도 일대일로는 승패를 장담할 수 없으리라.

"이 세상에는 두 종류의 인간이 있어. 「마술사」와 「어리석은 백성」이야."

글렌이 그런 생각을 하고 있는데 갑자기 남루스가 입을 열었다.

"「마술사」와 「어리석은 백성」……?"

"응. 진정한 마술…… **왕의 검**. 뭐, 당신네들 식으로 말하면 상위 룬에 의한 에인션트를 쓸 수 있는 보기 드문 자질을 가진 인간이 「마술사」. 하위 룬에 의한 가짜 마술…… 어리석은 자의 송곳니밖에 쓸 수 없는 범인이 「어리석은 백성」이 돼. 이 나라에서 「어리석은 백성」, 즉, 「우민」에게 인권은 없어. 마술사가 아니면 인간이 아니라는 거지."

"……."

"웃기지? 이 세계의 마술사란 것들과 우민의 인구비가 어떤지 알아? 약 1 대 999야. 그런데도 이미 마술사에겐 거역할 수 없는 풍조가 상식이 됐어."

"완전 막장인 세계로구만."

글렌은 이 시대의 실태에 어이가 없고 기가 막혔다.

"……그건 그렇고 남루스. 세리카는 이 도시 어디에 있는 거지?"

"그걸 내가 어떻게 알아."

너무나도 당당한 대답에 글렌은 하마터면 그 자리에서 자빠질 뻔 했다.

"너~?!"

"쉿! 조용히 해! 설명해줄 테니까!"

라 틸리카는 글렌의 입을 틀어막고 말했다.

"먼저…… 세리카가 마왕을 타도하기 위해 내가 단련시킨 최강의 마술사라는 건 이야기했지?"

"응."

"그리고 세리카는 마왕의 군대에 맞서서 수없이 많은 전투를 치렀어. 마장성을 몇이나 격퇴하고 《비탄의 탑》을 공략했지. 《백은룡장(白銀竜將)》을 쓰러트린 덕분에 《비탄의 탑》 최대의 난관인 89층의 《예지의 문》도 열었어. 그리고 사흘 전, 세리카는 마왕과의 최종 결전에 임했어. 아직 시기상조였지만…… 그럴 수밖에 없는 이유가 있었거든."

"이유?"

"그건 마왕의 무시무시한 목적이 밝혀졌기 때문이야."

라 틸리카는 담담하게 말했다.

"목적?"

"이 마도 멜갈리우스는 사실 그 자체로 하나의 거대한 마술 의식장이야."

"뭐······?!"

글렌은 주위를 둘러보았다.

"이 마도······ 아니, 이 나라 자체가 산제물의 제단이자 그 피를 받는 그릇. 이 마도에 사는 인간들, 이 나라에서 흘린 피는 전부 그 제단에 바치는 『공물』이었어. 그걸 【성배의 의식】이라고 하는데, 이 피처럼 붉은 하늘이 바로 그 의식의 영향이야."

"······?!"

"그리고 그 의식을 통해 얻으려는 건 「금기교전」^{아카식 레코드}······ 이 세상 모든 것의 진리나 다름없는 것. 미쳐버린 마왕이 죄 없는 백성을 마구잡이로 희생해온 목적은 바로 그거였어. 마왕은 정신이 아득해질 것만 같은 긴 세월에 걸쳐서 담담하게 준비를 진행해왔던 거야. 이 마도를, 의식을, 이 산제물의 제단을······."

"정신이 아득해질 것만 같은 긴 세월에 걸쳐서 준비를 진행했다라······."

자신들이 있던 미래와 기묘할 정도로 일치하는 상황이었다.

"서, 선생님······ 이건······."

"그래, 굳이 말 안 해도 알아. 마왕이 하는 짓은 미래나 과거나 다를 바가 없었군. 긴 시간을 들여서 준비한 모종의 목적. ······하긴 대도사 놈도 말했었지. 금기교전을 얻기 위해서라고…….”

“다시 본론으로 돌아갈게. 우리가 그걸 눈치챘을 때 마왕은 이미 의식을 실행하기 직전 단계까지 와 있었어. 마왕이 그 의식을 완성하면…… 마도에 있는 인간은 모두 생명을 흡수당해서 죽어. 그리고 분명 아무도 당해낼 수 없는 무적의 힘을 손에 넣겠지. 그렇게 되면 승산은 제로야. 그래서 세리카는 결전에 임할 수밖에 없었어. 하지만 그 싸움에서 진 세리카는 미래로 날아갔다……는 것까진 이해했지?”

“그래.”

“그리고 지금 미래에서 돌아온 세리카가 다시 마왕과 싸우려는 건 틀림없겠지만…… 문제가 하나 있어.”

“문제?”

“응.”

라 틸리카는 고개를 끄덕이더니 아직도 적응이 되지 않는 크기의 《비탄의 탑》 정상 근처를 가리켰다.

“저기. 저 천장이 《비탄의 탑》 내부로 들어갈 수 있는 유일한 입구야. 하지만 저 주위는 세리카도 뚫을 수 없는 최악의 마장성이 지키고 있어. 저번 싸움이 시기상조였다는 건 바로 그거야. 그 마장성을 대처할 방법이 아직 없었거든. 물론 세리카에겐 비장의 수단이 있지만…… 그건 마왕을 쓰러트리기 위해 반드시 남겨둬야 하는 거라…….”

“잠깐 기다려봐. ……그럼 전에는 어떻게 뚫은 건데?”

"여행 중에 만난 세리카를 지지하는 동료들이 있었어. 그들이 미끼가 된 틈에 탑 내부로 침입했었지."

"……그 녀석."

"결과적으로 미끼가 된 동료는 전멸. 그 마장성에게 속수무책으로 살해당했어. 세리카를 마왕에게 보내기 위해."

"……."

"아무튼…… 이제 미끼가 될 동료가 없는 지금의 세리카는 두 번 다시 같은 방법은 못 써. 어떻게든 그 마장성의 빈틈을 노려서 《비탄의 탑》으로 침입할 수밖에 없어. 세리카는 아마 그 빈틈이 생길 때까지 이 도시 어딘가에 숨어서 기다리고 있을 터."

"……야, 설마 그걸 일일이 찾아다니자고?"

"어쩌죠? 이런 넓은 도시를 샅샅이 뒤지는 건 무리예요. 그리고 이젠 시간도 없다면서요."

"그래, 맞아. 마왕의【성배의 의식】은 내일 동이 트는 동시에 완성돼. 그렇게 되면…… 모든 게 끝이야."

"제길…… 그 전까지 진심으로 잠복해버린 세리카를 이 더럽게 넓은 도시에서 찾으라고? ……마음이 꺾일 것 같구만."

벌써부터 앞길이 막막해지자 글렌은 탄식할 수밖에 없었다.

"어쨌든…… 위험할지도 모르지만, 지금은 저 《비탄의 탑》에 접근하는 수밖에 없지 않을까요?"

시스티나가 제안했다.

"만약 아르포네아 교수님이 저 탑에 침입하는 걸 노리신다면…… 역시 근처에 잠복하셨을 거 같거든요."

"뭐, 그렇겠지."

글렌은 머리를 긁적였다.

"나 원, 호랑이를 잡으려면 호랑이 굴에 들어가는 수밖에 없나. ……가자."

"……응. 나도 그럴 생각이었어."

이렇게 글렌과 시스티나는 라 틸리카의 안내에 따라 《비탄의 탑》을 향해 신중히 나아갔다. 과연 이것으로 정말 세리카를 찾을 수 있을까 하는 불안을 곱씹으면서.

―――.

일행은 시내를 조심스럽게 이동했다.

하지만 아무리 걸어도 생기 없는 눈으로 고개 숙인 사람들과 시체가 매달린 풍경만 계속 보이니 우울한 기분이 들 수밖에 없었다.

그리고 변함없이 모든 이를 위압하는 것처럼 우뚝 솟은 《비탄의 탑》이 너무 거대한 탓에 과연 언제쯤 근처에 도착할지 감도 잡을 수가 없었다.

'……거 참, 진짜 음침한 동네구만.'

글렌은 탄식을 내뱉었다.

'시간여행. 알자노 제국 사상 최강 클래스의 위업을 달성했는데…… 조금도 자랑스럽지가 않으니 원.'

"글렌."

그런 생각에 잠겨 있는데 어느새 옆에 선 라 틸리카가 갑자기 작은 목소리로 말을 걸었다.

"……응? 왜? 남루스. 무슨 용건이라도?"

글렌도 작게 대답하자, 라 틸리카는 대뜸 눈살을 찌푸렸다.

"그보다 먼저…… 저기 말야. 지금까진 귀찮아서 모른 척한 건데, 이제 좀 적당히 하면 안 될까?"

"어?"

"이름 말야. 이름. 난 남루스^{무명}가 아니라 라 틸리카^{시간의 천사}라구."

그리고 차가운 눈으로 흘겨보았다.

"아, 미안. 나도 모르게 그만……."

"애초에 왜 날 계속 그렇게 부르는 건데?"

"어, 으음…… 그게 말이지. ……우리 시대에선 다들 널 그렇게 불러서 그쪽이 더 익숙하다고 해야 하나……."

"뭐야 그게. 미래의 나한테 그딴 이름을 붙인 바보는 대체 누구야? 네이밍 센스가 아주 최악이거든?"

글렌도 눈치가 있어서 처음 만났을 때 본인이 그렇게 불러달라고 말했다고는 차마 밝힐 수 없었다.

"흥. 그건 뭐, 그렇다 치고……"

라 틸리카는 코웃음을 치더니 그제야 본론으로 들어갔다.

"후회해?"

톤이 낮고 작은 목소리로.

"후회? 뭘?"

"이 세계에…… 이 시대로 온 거."

"……."

글렌은 입을 다물 수밖에 없었다.

"이젠 피부로 체감했지? 이 시대가 얼마나 최악의 지옥인지. 지금까지 본 건 아직 빙산의 일각이야. 이 세계의 어둠은 훨씬 더 깊어."

"……그래, 그렇겠지. 「그대, 바라는 것이 있다면 타인의 소망을 화로에 지펴라」……이딴 소리가 신조인 마술사들이 지배 계급으로 군림하는 세계는 궁극적으론 그렇게 될 수밖에 없을 테니까."

그것이 바로 인간의 업, 마술사의 어두운 면이다.

즉, 인류의 역사를 아무리 되짚어 봐도 정의의 마법사는 있을 수가 없는 존재였다.

"솔직히 난 세리카를 구하기는커녕 당신들을 원래 시대로 돌려보내는 것조차 불가능하다고 생각해. 그게 가능한 확률은 이미 한없이 제로에 가까워."

"……."

"……내 탓이야. 전부. 이렇게 된 건 전부, 전부, 내 탓."

가만히 듣고만 있는 글렌에게 라 틸리카는 고뇌하는 표정으로 말했다.

"내가 어리석었어. 난 동생이랑 **그 사람**과…… 그저 셋이서 함께 즐겁게 지내면 그걸로 족해서…… 아무것도 보려 하지 않았어. 사고를 정지하고 있었던 거야."

"……"

"그 사람의 광기를, 뒤틀려버린 동생의 사고방식을 눈치채주지 못했어. 혹시 중간에 알았더라면 어떻게든 손쓸 방법이 있었을 텐데. 이 세상이…… 이런 지옥이 되진 않았을 텐데."

"……"

"더는 돌이킬 수 없는 지경까지 와서…… 그제서야 내 과오를 바로잡기 위해 떠올린 방법이라는 게…… 마왕의 대항마로 세리카를 내세우는 거라니. 이제 와서 생각해보면 이건 정말 이기적인 최악의 한 수였어. 내 이기심이…… 세리카를 한없이 괴롭게 만들었어. 지금까지도 계속."

"……"

"그리고…… 지금 그런 세리카를 구하려고 하다가 또 필요 없는 희생자를 만들고 말았어. 바로 당신들 말야."

담담히 자신이 지은 죄를 밝히는 라 틸리카 앞에서 글렌은 그저 참회실의 신부처럼 조용히 듣고 있을 수밖에 없었다.

"미안. 이렇게 사과하는 것조차 이젠 위선이겠지만…… 정말 미안해."

라 틸리카는 그렇게 당장에라도 눈물을 쏟을 것 같은 표정으로 대답을 기다렸지만, 글렌은 씩 웃더니 거칠게 머리를 쓰다듬어주었다.

"……뭐, 뭐 하는 거야. 여자 머리를 함부로 만지지 말아줄래?"

라 틸리카는 눈물이 살짝 맺힌 눈으로 노려보았다.

"역시 이런 먼 옛날에도 넌 정이 많은 녀석이었나 보네."

하지만 글렌은 개의치 않고 실실 웃었다.

"뭐어……?! 그게 대체 무슨 소리야!"

"후회 같은 거 안 해."

버럭 화를 내는 라 틸리카에게 글렌은 망설이지 않고 말했다.

"……어?"

"세리카를 쫓아서 이 시대로 온 걸 난 조금도 후회하지 않아. 오히려 안 왔으면 평생 후회했겠지."

"아……."

전혀 예상치 못한 대답에 라 틸리카는 어안이 벙벙할 수밖에 없었다.

"아, 아직도 그런 소릴 하는 거야? 인식이 좀 부족하지 않아? 말했지? 이 세상에는 아직 당신의 상상을 초월할 정도로 깊은 어둠이……!"

"앞으로 뭘 보게 되든 변함없어. 후회 안 해."

"어……어째서?"

"내가 세리카의 가족이기 때문이야."

글렌이 너무나도 당연하게 말한 탓에 라 틸리카는 할 말이 없었다.

"앞으로 그 어떤 지옥이 기다리고 있다 해도 가족을 위한 일인데 후회할 리가 없잖아?"

"⋯⋯?!"

"예를 들어 가족이 병에 걸려 몸져누웠을 때 간병하는 건⋯⋯ 하긴 뭐 번거롭겠지? 하지만 그럴 때 버팀목이 되어 주는 것 또한 가족이 누릴 수 있는 기쁨일 거라고 생각해. 다음에 내가 병들었을 때는 가족의 도움을 받는 식으로 서로를 지탱하며 사는 것이야말로 인간의 행복일 테지. 안 그래?"

"그건⋯⋯."

"그래서 오히려 난 너에게 감사하고 있어."

글렌은 라 틸리카를 힐끔 쳐다보았다.

"고맙다, 남루스. 난 네 덕분에 세리카와 만날 수 있었어. 가족이 될 수 있었어."

"어? 아⋯⋯으⋯⋯."

"그야 뭐, 너희도 이런저런 고생이나 갈등이 있었던 모양인데. 그래도 그 덕분에 난 세리카와 만났어. ⋯⋯사실 나도 원래 시대에선 이런저런 일들이 있었지만 말야."

글렌이 품속을 뒤지더니 붉은 마정석 펜던트를 꺼냈다.

과거에 자신이 세리카에게 선물했던 그 적마정석을 가만

히 쳐다보았다.

"나와 세리카가 함께 지냈던 나날은…… 분명 둘도 없는 소중한 시간이었어. ……그러니 이대로 끝낼 수는 없어. 끝나게 내버려둘 것 같냐고. 난 그걸 위해…… 이 시대로 온 거야. 후회할 여유 따윈 요만큼도 없어."

"……글렌."

라 틸리카가 멍하니 옆얼굴을 바라보자, 글렌은 갑자기 농담을 던졌다.

"아. 그리고 사실 내가 여기 올 수 있었던 건 지인들이 엉덩이를 걷어차 준 덕분이었거든. 그런데 이제 와서 겁먹어 봐. 나중에 흠씬 두들겨 맞을걸? 오~ 무서워라!"

"……풋. 당신은 정말 이상한 사람이야."

그러자 이 시대에서 만난 뒤로 줄곧 우울하거나 험악한 표정이었던 라 틸리카가 처음으로 작게나마 미소를 보여주었다.

"……뭐야. 미래인은 다들 당신처럼 이상한 사람인 거야?"

"야. 무서운 소리하지 마. 모든 사람이 나처럼 모범적인 교사의 귀감 중의 귀감인 상쾌한 훈남일 리 있겠냐고."

"바~보."

라 틸리카는 소리 내서 쿡쿡 웃고 말았다.

"지금까지 내가 해왔던 건…… 전부 잘못된 일이라고만 생각했어. 내가 전부 망친 거라고 여겼어. 실제로 그건 사실

일 거야."

"남루스……."

"하지만…… 다른 그 누구도 아닌 당신이 그렇게 말한다면…… 내가 했던 일이 조금이라도 누군가를 행복하게 해줬다면…… 아주 조금, 정말 아주 조금이지만 구원받은 듯한 기분이 들었어."

글렌은 어색하게 뺨을 긁적일 수밖에 없었다.

"세리카는…… 정말 좋은 제자를 뒀네."

"사실 못난 불초 제자지만 말이다."

그리고 어깨를 으쓱였다.

"아~ 그건 그렇고 미안. 또 어쩌다 보니 남루스라고 불러 버렸네."

그러다 문득 떠올리고 사과했다.

"……이제 됐어."

하지만 라 틸리카는 쓴웃음을 지으며 그렇게 대답했다.

"응? 갑자기 왜?"

"당신이 계속 그렇게 부르는 사이에 왠지 맘에 들었거든. 생각해보면 시간의 천사라는 거창한 이름보다 이쪽이 훨씬 더 나한테는 잘 어울리는 이름인 것 같기도 하고."

라 틸리카는 머리를 쓸어 올렸다.

"그리고 「이름이 없다」는 뜻도 되니까 왠지 미스테리어스 해서 멋지지 않아?"

"그, 그래? 사실 좀 시시한 말장난이라고 생각했는데……."

"시끄러, 닥쳐."

글렌과 라 틸리카, 아니. 남루스는 그런 대화를 나누며 좁은 골목길을 걸었다.

―――――.

이렇게 셋은 《비탄의 탑》으로 가기 위해 음울한 분위기의 거리를 신중하게 천천히 나아갔다.

도중에 살기등등한 병사들과 몇 번이나 마주쳤지만, 딱히 문제는 없었다. 순조로움 그 자체였다.

이대로라면 곧 목적지에 도착할 수 있을 거라고 생각한 순간.

웅성…….

주위가 소란스러워졌다.

"……뭐야? 갑자기 웬 소란이지?"

불온한 분위기를 느낀 글렌은 살짝 고개를 들었다.

그러자 앞쪽에 인파가 생긴 것이 보였다.

이대로 가면 저 인파를 통과할 수밖에 없을 터.

"무슨 일이 있나 본데? 어쩌지? 남루스. ……우회할까?"

"안 돼. 병사들이 보고 있어. 갑자기 진로를 바꾸면 수상하게 여길 거야."

"……그렇겠지. ……야, 하얀 고양이. 들려? 긴장 풀지 마."

"……아, 예."

뒤에서 따라오는 시스티나에게 주의를 준 글렌은 각오를 다지고 걸음을 옮겼다.

인파가 생긴 곳은 광장이었다.

이 마도의 광장에는 마치 약속이라도 한 것처럼 반드시 기묘한 바퀴 형태의 처형대가 설치되어 있었다.

하지만 이 광장의 처형대는 지금까지와 다르게 사용 중인 것도, 사용이 끝난 것도 아닌 **사용하기 전**인 상태였다.

웅성, 웅성, 웅성…….

광장에 모인 사람들이 술렁였다.

하지만 그건 지금부터 이 광장에서 일어날 일에 대한 동요가 아니라 또 처형이냐는 체념에서 오는 술렁임이었다.

처형대 주위에는 열 명이 넘는 병사들이 모여 있었고, 그들은 손이 뒤로 묶인 어린 소녀를 지팡이로 찌르면서 처형대 위로 올려 보냈다.

지금까지 몇 번이나 폭행을 당한 건지 넝마를 걸친 소녀는 보기에도 처참한 몰골이었다.

"자, 잠깐…… 설마?"

시민인 척하고 걸어가던 글렌은 그 광경을 보고 몹시 불길한 예감에 휩싸였다.

그리고 그런 예감을 긍정하듯.

"경청하라!"

한 병사가 인파 앞에서 위압적으로 선언했다. 몸에 걸친 로브가 다른 병사보다 화려한 걸로 봐선 아무래도 병사장인 모양이었다.

"이 자는! 우리의 숭고하고 위대하신 왕, 티투스 쿠뤄 님을 거역하는 오만불손하고 어리석은 반역자 세리카에게 힘을 보탠 자이다! 그 대죄는 구제할 길이 없고 용서할 길이 없으니 여기서 사형에 처하겠노라!"

그 통보를 들은 민중이 술렁였다.

"무지몽매한 멜갈리우스의 백성들이여! 진정한 정의가 무엇인지 그 눈에 똑똑히 새기도록! 그리고 다시 한번 되새기는 거다! 과연 무엇이 올바른지를! 하늘에 계신 우리의 왕은 단 한 분! 그런데도 감히 세리카라는 이름을 쓰는 비열한 악당에게 속아서 협력하는 것이 어떤 죄와 벌을 초래하는지를! 그 눈과 영혼에 새기는 거다!"

웅성, 웅성, 웅성…….

모두가 여전히 시선을 내린 채였고, 병사장의 황당무계한 통보에 반박하고 나서는 자는 단 한 명도 없었다.

"아, 아니에요! 아닙니다! 그, 그 아이는 절대로 세리카에게 협력했을 리 없단 말입니다!"

그 와중에 울면서 나선 것은 소녀의 아버지인 듯한 남자였다.

"자, 자비를! 그 아이는 아직 열 살밖에 되지 않았다구요!"

소녀의 어머니인 듯한 여자도 손을 맞잡고 병사장에게 매달리듯 애원했다.

"그럴 수는 없다! 악당에게 협력한 자는 당연히 정의로 단죄해야 할뿐!"

하지만 병사장을 매몰차게 여자의 말을 반박하고 손을 들어 신호를 보냈다.

그러자 주위의 병사들이 소녀를 난폭하게 처형대 위로 끌고 가더니 공포스러운 바퀴 위에 단단히 묶었다.

"아, 아빠! 엄마! 으아아앙! 무서워요! 구해주세요!"

"자비를! 아아, 제발 자비를!"

"왜, 대체 왜……! 우리 애가 대체 무슨 잘못을 저질렀다고……!"

웅성, 웅성, 웅성…….

이번에도 주민들이 술렁였지만, 이 가엾은 가족을 옹호하는 자는 아무도 없었다.

그리고 글렌의 귀에 조금 떨어진 곳에 있던 병사들의 대화가 들렸다.

"이봐. 저 꼬맹이가 진짜 세리카 일당의 잔당이야?"

"아앙? 그럴 리 있겠냐. 놈들은 이미 남김없이 죽여서 매달아버렸잖아?"

"아~ 그렇다는 건 역시 우민들에 대한 본보기려나."

"맞아. 딱히 누가 됐건 상관없어. 우리의 위대한 왕을 거역하는 자가 어떤 최후를 맞이하는지를 알려주기 위한 산제물일 뿐. ……그렇다면 어린애가 가장 「효과적」이잖아?"

"뭐, 하긴 슬슬 이런 게 필요하긴 했지. 세리카 때문에 요즘 우민들 중에 우리 마술사들에게 반항적인 태도를 보이는 놈들도 늘어나기 시작했으니 말야."

"정말이지. 우민들은 이래서 문제야. 저것들은 죄다 우리 마술사들의 가축인데…… 왜 그런 당연한 일조차 제대로 이해하지 못하는 거지?"

"도리를 모르는 바보들이라서야. 그러니 우민에 가축인 거고."

그런 역겨운 대화를, 듣고 말았다.

그리고 처형대에 매달린 소녀와 그걸 보고 절규하는 부모들의 비탄이 글렌의 마음을 가차 없이 헤집었다.

글렌이 무심코 넝마 밑에서 권총 그립을 움켜쥔 순간.

"……기다려, 글렌. 섣부른 행동하지 마."

남루스가 약간 강한 어조로 제지했다.

"심정은 이해해. 하지만 지금 여기서 당신이 나서서 어쩔 건데?"

"……."

"말해두는데, 저런 광경은 이 도시에선 일상다반사야. 우연히 지나가던 길에서 마주친 어린애 하나를 구한다고 변하는 건 아무것도 없어."

"……그, 그건."

"당신은 세리카를 구하러 온 거잖아? 애당초 저 애는 당신과 아무런 관계도 없고…… 당신에게 어떤 영향을 끼치지도 못해. 지금은 나설 때가 아니야. 지금은……."

내용은 냉혹했지만, 그 말을 입에 담은 남루스 본인도 뭔가를 참는 것처럼 어깨를 떨고 있었다.

글렌은 이를 악물고 신음을 흘릴 수밖에 없었다.

"그래. 난 모든 이를 평등하게 구원하는 정의의 마법사님이 아니지. 내가 구할 수 있는 수는 정해져 있어. ……이젠 주제 파악을 하는 수밖에."

"서, 선생님……."

"가자, 하얀 고양이……."

글렌은 그렇게 자신을 타이르며 발걸음을 옮겼다.

"으아아아앙! 누가 좀 구해주세요! 으아아아앙! 흐아아아아앙!"

하지만 계속해서 들려오는 소녀의 울음소리에 결국 몇 걸음 걷다 멈춰 서고 말았다.

"……뭐 하는 거야, 글렌! 걸음을 멈추지 마! 의심을 살 거라구!"

남루스가 작지만 절박한 목소리로 경고했다.

하지만 그 자리에서 미동조차 하지 않던 글렌은 곧 이렇게 말했다.

"……역시 무리였어."

"어?!"

눈을 크게 뜨며 경악하는 남루스에게 글렌은 서늘한 목소리로 말했다.

"이딴 불합리한 꼴을 못 본 척하고 지나갈 수야 없지."

"그, 그런 문제가 아니잖아! 전부 어쩔 수 없는 일이라구! 이 시대는……!"

"난 화가 나."

글렌은 고개를 들고 주위를 둘러보았다.

"이런 부조리를 당연하게 여기는 마술사 놈들도, 자연스럽게 받아들이는 무기력한 인간들도…… 이 시대의 모든 것에 화가 나서 견딜 수가 없다고!"

"……!"

"확실히 여기서 구해봤자 다른 시대에서 온 나에겐 아무런 영향도 끼치지 못하겠지. 하지만…… 그건 이런 부조리에 눈을 감을 이유는 되지 않아! 솔직히 기분 더럽다고! 이건 저 애를 위해서가 아니라 나 자신을 위해서야! 이제 슬슬 이 빌어처먹을 세상에 한 마디쯤 해줘야겠어!"

"……뭐, 선생님이라면 그렇게 나오실 줄 알았어요."

완전히 빗장이 풀려버린 글렌의 모습에 허둥대는 남루스와 달리 시스티나는 그럼 그렇지 하는 얼굴로 입을 열었다.

그리고 몸에 걸친 넝마를 슬쩍 올리고 왼손을 두 사람에게 보였다.

이미 마력을 주입해서 효과가 발동한 마술법진이 거기에 있었다.

"【스톰 그래스퍼】……. 심지어 이미 발동 상태. 준비성이 참 좋구만?"

"예, 전 준비됐어요. 자, 이렇게 된 이상 실컷 저질러버리죠. 이 열받는 세상에 저희가 성대하게 태클을 걸어주자-구요!"

"큭큭큭, 그래. 이제 내 맘을 잘 아는구만, 파트너."

"뭐…… 그만큼 오래 알고 지냈으니까요."

"다, 다, 당신들……?!"

의욕이 넘치는 글렌과 시스티나의 모습에 남루스는 완전히 당황했다.

"이건 만용을 넘어서 무모한 짓이야! 미래의 마술사들이란 건 모두 당신들 같은 생각 없는 바보들인 거니?!"

"……아니, 실은 생각하는 바가 전혀 없는 건 아닌데 말이지."

글렌은 인파를 힐끔 흘겨보았다.

이미 모든 것을 체념한 생기 없는 눈들.

확실히 그들은 자신들이 가축이라는 사실을 받아들이고

있었다. 마술사들이 자신들의 주인이라는 사실에 아무런 의문도 품지 않고 있었다.

하지만 과연 정말로?

'동화『멜갈리우스의 마법사』…… 그 최종장에서는…….'

글렌은 이 시대에 오기 전에 완벽히 암기할 정도로 읽은 동화의 내용을 떠올렸다.

그 내용에 의하면…….

"어차피 시간도 없어. 어차피 그 의식이 완성되면 이 마도의 백성들이나 우리도 다 끝장이잖아? 모두가 그『공물』이라는 게 된다며?"

"그, 그건 그렇지만…… 그래도 아직 내일 동틀 때까지 시간이……."

"시간이 없어. 이젠 단 일 초도 낭비할 상황이 아니라고. 그렇다면 느긋하게 세리카를 찾고 있을 여유가 없지. 나한테 생각이 있어. ……여기선 오히려 끌어내야 해."

"……끌어내? 끌어내다니, 누구를?!"

글렌은 남루스를 무시하고 시스티나에게 말했다.

"하얀 고양이, 너라면 내 생각이 뭔지 알겠지? 힌트는『멜갈리우스의 마법사』야."

"아……."

그 말을 들은 시스티나는 잠시 눈을 깜빡였다.

"그래요! 여기가 마도 멜갈리우스고, 마왕과의 최종결전을 벌이는 최종장의 그 대목이라면…… 시도해볼 가치는 있겠어요!"

"그치? 아니, 그보다…… 딱히 자만하는 건 아닌데, 난 분명 **그거**일 거라고 생각하거든."

"만약 **그게** 사실이라면…… 아하하! 이거 완전 역사의 서프라이즈겠네요!"

"……??"

영문을 알 수 없는 대화를 나누는 둘을 지켜보던 남루스는 곧 될 대로 되라는 듯 소리쳤다.

"……아, 진짜! 알았어! 알았다구!"

"남루스?"

"나도…… 이 상황이 화가 나서 견딜 수가 없었단 말야! 어차피 남은 시간도 뒤도 없어! 그럼 성대하게 저질러버리는 수밖에!"

"호오? 역시 넌 정이 많은 녀석이라니까."

"시끄러! 당신이랑 얘기하고 있으면 왠지 지능지수가 떨어지는 것 같은 기분이거든?!"

그렇게 셋이서 소란을 피우자 당연히 병사들이 주목하기 시작했다.

"이봐! 거기 너희들, 시끄럽다!"

"대체 뭘……!"

"《홍련의 사자여·분노에 몸을 맡기고·사납게 울부짖어라》!"

병사들이 호통을 치며 다가오자, 글렌은 뒤를 돌아보며 주문을 외쳤다.

"흡!"

시스티나도 【스톰 그래스퍼】로 바람의 칼날을 날렸다.

"《아르스 마그나》!"

동시에 남루스도 능력을 해방하자 글렌과 시스티나의 마력이 순식간에 증폭되었다.

화염구가 터지며 처형대 주변의 병사들을 날려버렸고, 종횡무진 날아다니는 바람 칼날이 처형대 위의 병사들을 모조리 쓸어버렸다.

쾅! 이어서 사방으로 퍼지는 충격이 광장을 뒤흔들었다.

"뭐, 뭐 하는 놈들이냐!"

위기를 피한 병사들이 돌아본 순간.

"우오오오오오오!"

신체능력 강화 술식을 전개한 글렌이 처형대를 향해 일직선으로 돌진했고.

"하앗!"

시스티나도 《질풍각(疾風脚)》으로 건물 벽을 박차며 처형대를 향해 날아갔다.

"앗! 저 녀석들…… 설마 마술사냐?!"

"기다려! 우리도 마술사잖아! 마술사가 왜 우리를……!"

"아니야! 잘 봐! 이상하게 위력이 높지만, 저 녀석들의 허접한 술식은 분명 「어리석은 자의 송곳니」라고!"

설마 어리석은 백성이 자신들에게 칼을 들이댈 줄 상상조차 못했던 병사들은 크게 동요했다.

"어리석군. 우민 주제에 감히 우리 마술사에게 거역하다니. 1번대! 2번대!"

하지만 병사장은 냉정하게 손을 들고 부하들을 지휘했다.

"……해치워!"

그러자 병사들이 둘을 향해 지팡이를 겨누고 일제히 주문을 영창하기 시작했다.

그건 글렌과 시스티나가 익히 아는 모던의 로우 룬 주문이 아니었다.

무시무시한 위력을 지닌 에인션트의 하이 룬 주문이었다.

둘의 카운터 스펠로는 막을 수 없었다. 간단히 뚫려 버리리라.

"이쪽이다!"

"반역자가 나왔다고?!"

거기다 지원군까지 잇따라 오고 있었다.

"큭…… 역시 적의 수가 너무 많아! 이래선 내 《아르스 마그나》가 있어도 방법이 없어! 글렌! 시스티나!"

악화일로를 걷는 전황에 남루스는 이를 악물고 절망 섞인 목소리로 둘의 이름을 외쳤다.

그리고 병사들의 주문이 일제히 완성된 순간, 믿을 수 없는 일이 벌어졌다.

"어?"

병사들이 영창한 주문이 발동하지 않은 것이다.

"이게 무슨……!"

"거, 거짓말…… 우리가 마술 발동에 실패하다니!"

"이건 말도 안 돼! 설마 이런 일이 모두 동시에 발생할 리가……!"

병사들은 자신들의 두 손을 내려다보며 당황하기 시작했다.

"그런데…… 그 설마가 일어났지 뭐냐!"

그런 병사들을 향해 글렌은 손끝에 광대의 아르카나를 끼운 채 맹렬하게 달려들었다.

"우오오오오오오오오오오!"

그리고 온힘을 담아 주먹을 휘둘렀다.

후려치고, 두들기고, 패고, 쳐 날린다.

뒷걸음질 치는 병사들을 눈에 보이는 대로 모조리 작업처럼 때려눕혔다.

"거기! 하아아아앗!"

휘몰아치는 진공 폭풍.

시스티나가 【스톰 그래스퍼】로 조종하는 바람 칼날이 종 횡무진 날아다니며 처형대를 에워싼 병사들을 잘게 썰어버 렸다.

아무리 로우 룬의 모던이라고 해도 카운터 스펠로 방어할 수 없다면 그건 일방적인 학살일 따름이었다.

"끄억!"

"아아아아아아아아아악!"

"제, 제길! 너, 너희가 지금 무슨 짓을 하는지 알기나 해?! 우린 저 위대하신 왕의……!"

"시꺼!"

글렌은 고압적으로 지껄이는 병사를 때려눕혔다.

마술에 완전히 의지하는 고대의 마술사들은 신체능력 강 화 술식을 걸고 근접 격투술로 싸우는 글렌의 움직임에 전 혀 대응할 수 없었다.

마치 허수아비를 상대하는 듯한 기분이었다.

"선생님! 역시 이 사람들은……!"

"그래, 예상했던 대로야! 이 녀석들은…… 마술이 없으면 **엄청나게 약해!**"

시스티나의 말에 글렌이 대답했다.

그렇다. 아무리 위력이 강하고 차원이 높은 마술을 익히 고 있다 해도 그 사용이 봉인된다면 아무런 의미가 없었다.

그리고 이 시대의 특권 계급인 마술사들은 그 막강한 위력에만 의지한 나머지 싸우는 방법도 모르는 약자를 원거리에서 일방적으로 유린하는 것밖에 할 줄 모르는 자들이었다.

그건 일방적인 괴롭힘일 뿐, 결코 제대로 된 전투 경험이라 볼 수 없었다.

그럼 마술만 봉인해버리면 문제없을 터.

역전의 마술사인 글렌과 시스티나의 적수가 될 수 없었다.

글렌의 고유마술【광대의 세계】.

그를 중심으로 일정 영역의 마술 발동을 완전히 봉쇄. 이 마술이 에인션트에도 효과가 있는 건 마장성들과의 전투에서도 확인했다.

그러니 이 순간, 모든 현자는 무력한 갓난아기로 퇴화할 수밖에 없었고.

"거기! 받아랏!"

그런 그들로서는 시스티나의 흑마 개량2식【스톰 그래스 퍼】를 막아낼 수 없었다.

"타아아아아아아아아앗!"

역전의 집행관으로서 수많은 사선을 헤쳐 온 글렌의 격투술을 막아낼 수 없었다.

"말도 안 돼! 왜 우리가 밀리고 있는 거지?! 왜 주문을 쏠 수 없는 거냐고!"

혼자 붕 떠버린 병사장은 그야말로 정신이 나가버릴 지경이었다.

"우린 마술사다! 그런데 어째서 이런 우민들 따위에게……!"

"그건…… 네가 바보라서다!"

그런 병사장의 안면에 글렌이 온힘을 다해 날린 라이트 스트레이트가 작렬했다.

"끄아아아아아아아아아아악!"

병사장의 몸은 길 건너편까지 날아가 바닥을 굴렀다.

"끄어어어어억!"

"아아악!"

"철수! 철수해!"

이윽고 살아남은 병사들이 허둥지둥 달아나기 시작했다.

"뭐, 이 정도려나요."

"흥! 두 번 다시 오지 마!"

글렌은 그들을 향해 중지를 세웠다.

"제, 제법이잖아. 솔직히 당신들의 실력을 좀 얕봤어. ……내 《아르스 마그나》는 쓸 필요도 없었겠네."

남루스도 두 사람의 활약에는 감탄밖에 나오지 않는 모양이었다.

"……자, 그럼."

글렌은 처형대 위로 가볍게 올라갔다.

"……아……."

그곳에는 처형대인 바퀴에 매달린 소녀가 있었다.

글렌은 주먹으로 바퀴를 부숴서 소녀를 풀어주었다.

"……무서웠지? 이젠 괜찮아."

"……."

해방된 소녀는 그를 물끄러미 올려다보았다.

불꽃처럼 붉은 머리카락과 보라색 눈동자가 특징적인 아직 어린 소녀였다.

한순간 그 모습에서 기시감이 느껴졌지만, 상황이 상황인 만큼 일단 그 생각은 접어두기로 했다.

"……돌아가렴. 집으로."

"아, 그게…… 저……."

하지만 소녀는 떠나지 않고 뭔가 말하고 싶은 듯한 표정으로 글렌을 계속 올려다보았지만, 곧 부모에게 안겨서 그 기회를 잃고 말았다.

"자, 글렌. 훌륭한 솜씨……라고 칭찬해주고 싶지만."

이어서 남루스가 뒤에서 다가왔다.

"……그래서? 이제부터 어쩔 건데?"

책망하는 기색은 없었다. 그저 상황을 확인하고자 하는 의도만이 느껴졌다.

"이런 큰 소란을 벌였는걸. 이제 곧 더 많은 병사들이 몰려들 거야. 자칫하면 **그 녀석**도 올지도."

"……."

"이 마도가 아무리 넓다지만 도망치는 데엔 한계가 있어."

"……."

"……어쩔 거야? 몸을 숨기려면 어서 빨리……."

하지만 글렌은 대답하지 않고 처형대 위에서 주위를 둘러보았다.

"""……."""

그곳에는 그저 망연자실하게 서 있는 백성들이 있었다.

갑작스러운 사태에 도망치지도 숨지도 못한 채 입만 떡 벌리고 있었다.

모두가 하나 같이 무기력하지만 대체 왜 싸운 거냐고, 저 아이를 구하는 게 대체 무슨 의미가 있냐고 묻고 싶은 듯한 표정이었다.

'이거 만만치 않겠는걸. ……이런 건 《은둔자》 영감의 특기 분야지만, 뭐 어쩔 수 없나.'

글렌은 그렇게 생각하면서도 목을 툭툭 치며 작게 주문을 외우더니 확성 음향 마술을 발동했다.

그리고― 외쳤다.

『적당히 좀 하라고, 이 짜식들아! 부끄럽지도 않아?!』

그렇게 증폭된 목소리가 무기력한 백성들에게 닿았다.

『뭘 멍 때리면서 이딴 걸 보고만 있는 건데! 아무 죄도 없는 어린애가! 이딴 식으로 불합리하게 살해당하려는 걸 보고도 왜 가만히만 있는 거냐고! 우리는 뭐야! 인간이잖아?! 가축이 아니잖아!?』

웅성…….

조금, 아주 조금이지만 반응이 있었다.

『진짜 그걸로 된 거야?! 이번에는 우연히 저 아이였지만…… 다음엔 당신들 자식일 거다! 너희가 사랑하는 가족일 거다! 바닥만 보고 외면해봤자 그 순간은 반드시 와! 알겠어?! 이건 남 일이 아니라고!』

웅성, 웅성…….

모두가 표정을 굳히고 술렁였다.

그들 모두가 실은 알면서도 외면했던 사실을 글렌이 날카롭게 지적했기 때문이다.

『이보쇼들! 정말 이대로도 괜찮겠어?! 가축인 채 끝나도 되겠냐고! 그런 꼴로 앞으로 태어날 아이들에게 가슴을 펼 수 있어?! 우리는 가축이니까 어쩔 수 없다! 마술사님에게 심한 꼴을 당해도 어쩔 수 없다고 자식들에게 가르칠 생각이냐고!』

"웃기지 마!"

그러자 인파 속에서 누군가가 외쳤다.

"넌 현실을 모르는 거야?! 우리가 대체 뭘 할 수 있는데! 상대는 마술사님이라고! 마술의 극한에 도달한 그 대왕……

티투스 님이라고!"

"마술사님 상대로 평범한 인간인 우리가…… 어리석은 자의 송곳니밖에 가지 못한 우리가 대체 뭘 할 수 있겠냐고!"

"마술사님 앞에서 우린…… 가축으로서 고개를 조아릴 수밖에 없어! 그게 바로 이 세계의 섭리잖아! 그런데 이제 와서 무슨 소릴 하는 거야!"

"애초에 그 세리카조차 패배했건만!"

그 말이 들린 순간, 조용하면서도 기묘한 흥분이 주위를 지배했다.

돌멩이 하나가 파문을 일으키듯 백성들이 저마다 입을 열기 시작했다.

"세리카…… 아, 그 티투스 님을 거역한 어리석은 마술사 말인가."

"한때는 굉장했지. 티투스 님의 마장성을 파죽지세로 격파했으니 말야."

"맞아. 사흘 전엔 이 도시에서도 티투스 님의 군대를 쓸어버렸었지."

"하지만 그런 세리카도…… 티투스 님에겐…… 상대도 되지 않아."

"뭐, 딱히 기대하지도 않았지만 말야. 그 녀석의 소문은 알지?"

"냉혹무비, 잔학무도…… 어차피 자기도 제2의 마왕이 되고 싶었던 것뿐이잖아?"

"맞아. 맞아. ……어차피 뻔해. 세리카의 승패 따윈 아무래도 상관없어."

"어차피 그 녀석이 이기든 지든 우리 인생은 분명 아무것도 바뀌지 않을 테니까."

"……맞아. 하지만…… 그래도……."

그런 백성들의 웅성거림을. 혼잣말을. 심정의 토로를.

글렌은 몰래 발동한 집음 마술로 신중하게 조사했다.

그들의 본심이 과연 어디에 있는지를 확인했다.

'확실히…… 저들에게 세리카가 공포의 대상인 건 틀림없는 것 같군. 하지만, 그럼에도…….'

그들은 사실 보고 싶어 했었다. 부정적인 말과는 반대로 오히려 기대했었다.

아득히 높은 저 하늘을 지배하며 자신들의 머리를 짓밟고 있는 마왕.

그 마왕이 누군가의 손에 의해 끌어내려지는 광경을.

"서, 선생님……."

"……그런 거였군."

시스티나가 긴장한 얼굴로 지켜보는 가운데, 글렌은 만족스러운 듯 고개를 끄덕였다.

그러자 남루스가 시시하다는 듯 중얼거렸다.

"……글렌. 당신이 노리는 게 뭔지는 알았어. 솔직히 말해

괜한 기대였던 것 같네."

노골적인 실망감을 드러냈다.

"민중을 선동해서 봉기하게 하려는 거지? 그걸로 마도를 혼란에 빠트려서 빈틈을 만들 속셈이었지? 하지만 그건 생각이 짧은…… 최악의 악수거든?"

"……"

"저기 말야. 부외자인 당신이 이런 국지적인 장소에서 한두 마디 던진 것 정도로 백성들이 움직일 것 같아? 바보 아냐? 현실 파악 좀 해! 소설을 너무 많이 본 거 아니냐구!"

"……"

"애초에 이런 시도를 해본 사람이 또 없었을 것 같아? 말해두는데, 전부 실패했다구! 잘 들어! **사람은 말만으로는 움직이지 않아!**"

"……"

"이들이 얼마나 오랫동안 학대당했는지 알아?! 이 시대의 인간은 마음이 꺾인 지 오래라 이미 뼛속까지 가축이라구! 뭔가에 대항하고, 내일을 위해 싸우려는 기개를 가진 인간은 이제 단 한 명도 없어! 있을 리가 없단 말야!"

남루스는 글렌의 멱살을 잡고 노려보았다.

"자만하지 마! 인간은…… 약해! 글렌. 세리카나 당신처럼 누구나 강한 게 아니란 말야!"

하지만 글렌은 그런 그녀의 손을 잡고 강하게 말했다.

"남루스. 너야말로 **인간을 얕보지 마.**"

"뭐?"

"확실히 인간은 약해. 때로는 좌절하고 쓰러질 때도 있어. 오랫동안 다시 일어서지 못할 때도 있지. 하지만…… 계기만 있으면…… 반드시 다시 설 수 있어. 누구나가 그런 강함을 가지고 있다고."

그렇게 말한 글렌의 머릿속에는 자신의 꿈을 좋아한다고 말해줬던 하얀 머리 소녀의 미소가 떠올랐다.

"……글렌?"

"그 계기는 내가 만들어주지. 사실 이런 건 내 성미에 맞지 않지만…… 세리카를 구하기 위해서야. 어디 해보는 수밖에……!"

그렇게 말한 글렌은 술렁이는 백성들 앞에 다시 서서 당당하게 외쳤다.

『세리카는, 아직, 지지 않았거든?!』

그 말이 백성들의 마음을 관통했다.

"뭐……? 세리카가?"

"……아직 안 졌다고?"

"……그게 무슨 뜻이지?"

『그래! 세리카는 분명 마왕에게 한 번 졌어! 하지만 다시 돌아왔지! 지금 이 마도 어딘가에 숨어서 호시탐탐 마왕을 쓰러트릴 기회를 엿보고 있다고! 그 녀석은, 세리카는 이 세계를 구하기 위해 다시 돌아온 거야! 그 증거로 내가 바로 그 세리카의 제자다! 난 그 녀석의 돌파구를 열어주기 위해 여기로 온 거야! 인류의 적, 극악무도한 마왕을 쓰러트리기 위해!』

웅성, 웅성, 웅성……

이번에야말로 백성들은 확연히 동요하고 곤혹스러워하는 기색을 보였다.

어느새 주위에는 사람이 늘어나 있었다.

무슨 일인가 싶어서 숨어 있던 자들이 모두 글렌을 주목하고 있었다.

광장에서, 혹은 건물 뒤나 창가에서.

"제자……? 마왕을 쓰러트려……?"

"말도 안 돼. 저 사람…… 제정신인가?"

동시에 누구나가 글렌의 정신상태가 정상인지 의심했다.

왜냐하면 그가 세리카의 제자임을 밝혀봤자 아무런 이득도 없었기 때문이다.

지금 이 마도에서 그런 말을 한다면 틀림없이 잡혀 죽을 터.

즉, 거짓말을 할 이유가 조금도 없는 것이다.

그럼 이 세리카의 제자를 자칭하는 남자가 하는 말이 사실인 건가?

그냥 헛소리가 아닌 건가?

누구나가 당혹스러워 하고, 단언할 수도 없었다.

글렌은 여기서 또 한 명의 스승인 《은둔자》 버나드의 가르침을 되새겼다.

—인간은 진실이 아니라 자기가 믿고 싶은 정보만 믿는다.

만약 글렌의 말이 사실이라면.

그 세리카가 마왕을 쓰러트리기 위해 다시 한번 싸울 준비를 하고 있다는 뜻이다.

그 마왕을 **쓰러트리기 위해서.**

세리카. 그 마왕에게 대항한 유일한 마법사. 인간은 절대이길 수 없다고 여겼던 마장성들과 정면으로 맞서 싸워서이미 몇 명이나 격파해버린 기적의 마법사.

그들에게 있어서 그녀의 행위나 소문은 확실히 공포와 혐오의 대상이기도 했지만, 동시에 작은 희망이기도 했던 것이다.

'……좋아. 여기까진 됐어!'

어느 정도 선동이 먹힌 것을 확인한 글렌은 주먹을 강하게 쥐었다.

'하지만 남루스의 말대로 인간이라면 당연히 이 정도로는움직이지 않아. 혼란스러운 눈으로 지켜보는 가운데 그치겠지. 그래. 인간은 말만 듣고는 움직이지 않으니까!'

하지만 높은 확률로 그들을 움직일 수 있는 수단이 글렌에게는 있었다.

'······와라!'

글렌은 기원했다. 계속해서 기원했다.

한편, 백성들은 그의 말을 믿고 싶어 하면서도 서서히 냉정함을 되찾기 시작했다.

다시 모든 것을 체념한 가축의 눈으로 돌아가고 있었다.

조금씩. 서서히.

'······와라. 어서 와!'

하지만 글렌은 계속 기원했다.

그들의 관심은 점점 글렌에게서 멀어졌다.

역시 무리다. 어차피 실패할 거다. 기대해봤자 손해다.

그런 방향성으로 정착되고 말리라.

하지만, 그럼에도.

'틀림없이 온다! 이렇게까지 했으니······ 반드시 와!'

글렌이 반쯤 확신하며 마음속으로 강하게 빈 순간.

두두두두······.

어디선가 지축을 울리는 소리가 들리기 시작했다.

그 소리가 점점 광장을 향해 다가오고 있었다.

그리고 그 소리를 들은 백성들은 서로 얼굴을 마주보며 겁을 내기 시작했다.

"앗……! 와, 왔다! 그 **녀석**이 왔어!"

"으, 으아아아……! 도망쳐! 밟혀 죽을 거야!"

너 나 할 것 없이 광장에서 썰물처럼 허둥지둥 달아났다.

"이 소리는……! 아차, 늦었어!"

남루스도 새파랗게 질린 얼굴로 당황했다.

"……역시 왔네요."

"그래. 노렸던 대로야."

그런 식으로 모두가 동요하는 와중에도 시스티나와 글렌 만은 예상했던 일이라는 듯 아무렇지 않게 대화를 주고받 았다.

"다, 당신들! 지금 뭐하는 거야!"

그런 식으로 여유가 넘치는 둘에게 남루스가 역정을 냈다.

"각오는 했었지만! 역시 발각됐어! 세리카조차 완전히 해 치울 수 없었던 그 **녀석**한테!"

"……그래."

"어서 어딘가로 숨어야 해! 그 **녀석**만은 도저히 손쓸 방법 이 없단 말야! 글렌!"

하지만 글렌은 꿈적도 하지 않았다.

시시각각 다가오는 진동음을 맞이하듯 그 자리에 계속 머 물렀다.

이윽고 처형장 맞은편에 있던 도시의 일부가 갑자기 터져 나갔다.

흩날리는 파편을 좌우로 헤치며 거대한 물체가 그들의 눈앞에 모습을 드러낸 것이다.

"……왔구만."

글렌은 그 거대한 물체를 노려보았다.

그것은 전차였다. 웅장하고 거대한 네 필의 흑마가 끄는 거대한 전차.

평범한 전차가 아니다. 딱 봐도 막대한 마력이 흐르는 마술 전차였다.

그 검은 차체에는 칼과 창 같은 다양한 무장이 달려 있었다.

바퀴에는 불길한 푸른 불꽃이 타오르고 있었다.

그리고 마부는— 마인(魔人)이었다.

튼튼한 칠흑의 전신 갑옷을 위에 붉은 로브를 걸쳤으며, 후드 밑의 바이저는 무한한 심연을 머금고 있어 표정을 확인할 수 없었다.

그리고 그 전신에서 피어오르는 어두운 마력.

마치 어둠 그 자체가 간신히 인간의 형태를 취한 듯한 이형의 마인이 흉악한 전차를 몰고 등장한 것이다.

저 마인의 이름은…….

"드디어 납셨군! 《철기강장(鐵騎剛將)》…… 아세로 이엘로!"

글렌은 울부짖듯 외쳤다.

그렇다. 마왕의 부하인 무시무시한 마장성의 일원이었던 것이다.

『……네놈인가. 그 세리카의 제자를 자칭하는 어리석은 자가.』

아세로 이엘로는 전차 위에서 글렌 일행을 노려보았다.

『그렇군. 우리의 위대한 왕을 배신하고 세리카에게 붙은 배신자, 라 틸리카가 있었을 줄이야. 아무래도 전부 헛소리 는 아니었던 모양이군.』

"뭐, 뭐야! 당신! 레 파리아에게 받은 힘으로 어디서 건방 지게……!"

남루스는 짜증스러운 눈으로 아세로 이엘로를 노려보았다.

『뭐라 말하든 상관없다. 우리는 그분에게 인정받고 《밤하 늘의 처녀》로부터 열쇠를 받아 인간을 초월한 「선택받은 자」 이니.』

"큭……!"

아세로 이엘로는 분해하는 남루스를 무시하고 오른손을 들었다.

그러자 그 오른손이 변형하더니 거대한 칠흑의 창이 출현 했다.

그리고 그것으로 글렌을 겨누었다.

『올바른 하늘이신 폐하를 거역하는 어리석은 자여. ……그 오만함, 그 불손함을 더는 용납할 수 없다. 왕의 정의의 수 호자인 내가 네놈에게 직접 벌을 내려주마. 자비는 없다.』

그 순간, 아세로 이엘로의 전신에서 막대한 투기가 검은 색의 신기(神氣)로 변해 팽창했다.

이 자리의 모든 것을 압박하고 내려다보는 존재감과 박력.

그렇게 이 도시 구역 전체가 공포와 절망으로 뒤흔들렸다.

"어쩔 거야, 글렌!"

남루스가 파랗게 질린 표정으로 물었다.

"저 녀석은 《철기강장》 아세로 이엘로…… 마왕의 최강 부하인 마장성의 일원! 저 녀석의 몸에는 모든 공격이……."

"안 통한다는 거지?"

글렌이 아무렇지 않게 하던 말을 빼앗자, 남루스는 눈을 깜빡였다.

"저 녀석의 몸은 무적의 신철(神鐵)로 이루어져 있어. 그래서 모든 물리·마술 대미지가 통하지 않아. 동화 『멜갈리우스의 마법사』에서 그 강대한 정의의 마법사님이 유일하게 피할 수밖에 없었던 상대였으니 말이지."

"《불꽃의 배》에서의 첫 번째 전투에선 호되게 당했었죠. 거기서 동료를 몇 명이나 잃기도 했고……."

"메, 『멜갈리우스의 마법사』? 당신들, 그게 대체 무슨……."

"하지만…… 방법은 있어."

글렌은 누구나가 고개를 조아릴 수밖에 없는 아세로 이엘로를 향해 천천히 걸어갔다.

"후후, 그랬었죠. 한 번 더 해보자구요."

시스티나도 그런 글렌의 뒤를 지키듯 섰다.

"잠깐만…… 당신들, 대체 무슨 소리 하는 거야?"

그 와중에 남루스는 그저 당황할 수밖에 없었다.

『……어리석구나.』

당사자도 어이가 없는지 연민이 섞인 목소리로 말하며 글렌을 바라보았다.

『내 몸의 비밀을 알면서도 나에게 도전하는가. 「어리석은 백성」이란 본디 타고난 마술의 재능에 따른 호칭이다만…… 설마 정말로 어리석어질 줄은.』

"잘도 지껄이시는군. 힘에 매료돼서 인간이기를 포기한 「진짜 얼간이」인 주제에."

글렌의 도발에 아세로 이엘로가 반응했다.

『……날 우롱하는가. 폐하와 밤하늘의 처녀에게 바친 내 충성을…… 용서할 수 없다!』

제대로 도발이 먹힌 그는 오른손으로 창을 빙글 돌리며 겨누고 왼손으로 고삐를 당겨서 단숨에 돌진했다.

『죽어라! 내 바퀴로 네놈들의 내장을 짓뭉개주마!』

마차의 바퀴가 맹렬하게 회전하자, 그 충격으로 도시의 돌바닥이 깨지고 튕겨나갔다.

압도적인 중량이, 모든 것을 분쇄하고 짓밟는 질량이 일직선으로 달려왔다.

"우와아아아아아아앗?!"

"아세로 이엘로 님의 《검은 화차》다아아아아아아!"

"도망쳐! 쥐포가 될 거야!"

너 나 할 것 없이 달아나는 백성들.

거친 바다 같은 혼란이 소용돌이치는 가운데, 글렌이 앞으로 달려나갔다.

"남루스! 《아르스 마그나》를 부탁해!"

"싸, 싸우려고?! 정말 여기서 마장성과 싸우는 거야?! 진심?!"

"진심이고말고! 어찌 됐든 이 녀석을 해치우지 못하면 마왕과 싸울 수 없잖아! 이젠 뭐가 됐든 싸우는 수밖에 없다고!"

"아, 진짜! 어떻게 돼도 난 몰라!"

남루스는 그렇게 외치는 동시에 《아르스 마그나》를 발동했다.

그러자 쏟아진 은색 빛이 글렌의 힘을 무지막지하게 증폭했다.

"……!"

그리고 남루스의 왼쪽 손가락도 조금씩 사라지기 시작했다.

"칫…… 시간을 오래 들일 수는 없겠구만!"

『죽어라아아아아아아아아아아!』

그렇게 검은 폭풍이 돼서 맹렬하게 달려오는 전차 위의 아세로 이엘로를 향해 마침 【광대의 세계】의 유효 시간이 끊긴 것을 확인한 글렌이 주문을 영창했다.

"《홍련의 사자여·분노에 몸을 맡기고·사납게 울부짖어라》!"

"흡!"

시스티나도 【스톰 그래스퍼】로 수많은 바람 칼날을 마구

잡이로 날렸다.

그렇게 두 사람의 마술과 아세로 이엘로가 정면에서 충돌한 순간, 마도 한편에 거친 폭풍과 격렬한 불기둥이 솟구쳤다.

제 3 장 제자

마도 멜갈리우스 중심에 솟은 마왕의 성, 《비탄의 탑》.

어떤 특수한 마술의식 시설이기도 한 그 탑은 입구가 천장 꼭대기에 있어서 아래층으로 내려갈수록 격이 올라가는 특이한 구조를 가지고 있었다.

외견은 사각추 형태의 건축물이지만, 지상에서 보이는 부분은 1층에서 9층인 《각성을 향한 여정》 그리고 10층부터 49층까지인 《어리석은 자에 대한 시련》까지였다.

이 부분은 외적에 대응하기 위한 최강의 방어기구다.

그리고 구조적으로 딱 지하에 해당하는 부분인 50층부터는 내부 공간이 마술로 뒤틀렸기 때문에 계층구조가 싹 변한다.

수많은 원형 계층이 상하로 포개어 쌓인 탑이자 미궁 같은 구조이면서 주거지 같은 구역이나 구조물이 다수 얽혀서 존재했다.

그리고 그 외주부에는 무한한 하늘이 펼쳐져 있었다.

마치 지하가 아닌 듯한 신비한 장소.

50층부터 89층 《문지기의 초소》. 그곳에는 마왕 휘하의 마술사들이 사는 제2의 수도. 마술사들이 사는 이상향.

그런 탑 구역의 외주부에 세운 어느 공중정원 테라스에 한 여성이 서 있었다.

"……."

마치 요정처럼 아름다운 여성이었다.

순은을 녹여 흘린 듯한 은발. 약간 날카로운 눈매와 비취색 눈동자.

하얀색 베이스의 하늘하늘한 외투를 가볍게 걸친 그녀는 테라스에서 외주부에 펼쳐진 무한히 넓은 하늘은 멍하니 바라보고 있었다.

그 하늘에 가득 채워진 것은 영원한 밤.

터무니없을 정도로 거대한 달이 눈앞에서 빛났다.

"실 비사 님!"

그녀가 그런 식으로 가만히 밤하늘을 지켜보고 있는데 뒤가 소란스럽다 싶더니 마술사인 듯한 남자들이 달려와 무릎을 꿇었다.

"무슨 일이죠? 유체의 매장 작업은 순조로운가요?"

실 비사라 불린 여성은 탑 안쪽을 힐끔 흘겨보았다.

그러자 그곳에는 수많은 마술사들의 시체가 쌓여 있었다.

하나 같이 불에 타거나 결손 부위가 있는 처참한 몰골이었다.

"아뇨, 그쪽 작업은 아직…… 사흘 전 세리카가 침공했을 당시의 전투에서 발생한 희생자가 너무 많다 보니 며칠 정도로는 도저히……."

"그런가요. 그럼 계속해서 작업을 부탁해요. 아무리 죄가 깊은 죄인들이라 해도 그대로 방치하는 건 너무 가여우니까요."

"예? 죄인? 그들이 말입니까?"

실 비사의 말에 보고하러 온 마술사들은 어리둥절한 표정으로 서로의 얼굴을 쳐다보았다.

"외람된 말씀이오나 그들은 마술사입니다만? 그런 그들이 대체 무슨 죄를……?"

"……아무것도 아닙니다. 그냥 흘려들으세요."

실 비사는 힘없이 고개를 저었다.

"그보다 뭔가 보고할 게 있지 않나요?"

"아, 예! 바로 조금 전에 왕도 멜갈리우스 8번 구역에 세리카의 제자를 자칭하는 인물이 나타났습니다!"

"……제자?"

실 비사는 눈살을 찌푸렸다.

"그녀에게 제자가 있다는 건 처음 듣는 소립니다만…… 확실한 건가요?"

"아, 예! 출처가 확실한 정보입니다!"

마술사들이 황송하게 대답했다.

"또한 그 제자는 세리카를 내세워 어리석은 백성들을 선동하는 듯한 언동을 했다고 합니다."

"이상하네요. 세리카는 사흘 전의 전투에서 티투스 님의 손으로 이 차원에서 추방되지 않았나요? 모든 소생과 부활 마술을 무효화하기 위해……."

"하, 하오나…… 그 제자의 말에 따르면 세리카는 이미 이 멜갈리우스에 귀환한 상태라고……."

"……."

"아무래도 간과할 수 없는 사태라 지상의 입구를 지키고 계셨던 《철기강장》 아세로 이엘로 님께서 그 제자를 자칭하는 발칙한 자를 처리하기 위해 나서셨습니다."

"……그렇군요. 알겠습니다."

실 비사는 눈을 감고 말했다.

"그쪽은 제가 대응하죠. 당신들은 계속해서 작업을 진행해주시길."

"예!"

"현재 티투스 님께선 그토록 염원하시던 최종목적으로 이어지는 마술의식을 《예지의 문》 너머에서 수행 중이십니다. 지금이 가장 중요한 순간이니 만에 하나라도 역도가 티투스 님께 접근해선 안 됩니다. 각자 분골쇄신하여 책무를 다하세요."

"""예!"""

그 말을 끝으로 마술사들은 각자 자신들의 일터로 달려갔다.

"……."

하지만 실 비사는 움직이지 않았다. 그저 묵묵히 밤하늘만 올려다볼 뿐.

『괜찮겠나?』

그러자 갑자기 뒤에서 낮은 목소리와 함께 그림자가 소리 없이 등장했다.

붉은색 로브로 전신을 감싼, 이 세상의 존재가 아닌 마인.

후드 안쪽은 무한한 심연으로 이루어져 있어서 표정은 읽을 수 없었다. 안광조차 보이지 않았다.

그리고 허리에는 강대한 주력이 흐르는 마도(魔刀) 두 자루를 차고 있었다.

"《마황인장(魔煌刀將)》…… 아르 칸……."

실 비사가 그 마인을 돌아보자, 그는 그대로 질문을 던졌다.

『괜찮겠나? 지금 그대는 자신의 책무를 다하지 않는 것처럼 보이는군. 왕에게 가장 충성심이 깊었던 그대가 어떻게 된 거지? 《풍황취장(風皇翠將)》 실 비사여.』

"……."

아르 칸의 지적에 실 비사는 잠시 입을 다물었다.

"모르겠어요."

하지만 고민 끝에 나온 건 그런 대답이었다.

"티투스 님의 이념에 찬동한 저는 이 세상의 진정한 행복을 위해 그분을 모셔왔습니다. ……하지만 그것이 정말 옳은 일이었던 걸까요?"

『…….』

"세리카의 저번 침공 사건. 단기필마로 이 《비탄의 탑》에 쳐들어와 지배 계층인 마술사들을 모조리 물리치고…… 티투스 님의 목 앞까지 칼을 들이밀었던 그 사람. 그 집념. 어째선지 제 눈에는…… 그런 그녀가 이 세계를 살아가는 전 인류의 의지를 그 한 몸에 짊어지고 저희의 행동을 부정하고자 나선 인류의 대변자처럼 보이더군요."

『…….』

"숙청할 건가요? 이런 불경스런 말을 하는 저를."

『관심 없다.』

하지만 아르 칸은 대수롭지 않은 듯 대답했다.

『예전이나 지금이나 내가 바라는 것은 이 몸이 섬길 자격이 있는 진정한 주군뿐. 그 외의 사소한 일에는 관심 없다. 그것이야말로「검」인 내 진정한 소망이기에.』

"……당신은 변하지 않는군요."

『나는 예전의 티투스와 마찬가지로 세리카에게서도 그 가능성을 발견했다만…… 과연 놈이 그런 그릇이 될 수 있을지…… 아니면…….』

"……."

실 비사는 침묵을 사이에 둔 후 작게 입을 열었다.

"……대체…… 왜 이런 상황이 된 걸까요."

『…….』

"저희 마장성도 많이 줄어들었네요. 《염마제장(炎魔帝將)》비아 돌, 《죄형법장(罪刑法將)》잘 지아, 《뇌정신장》발 보르, 《명법사장(冥法死將)》하 데사가 세리카에게 토벌당했고 《백은룡장》르 실바가 세리카의 군문에 투항…… 아니, 그녀의 경우는 「열쇠」로부터 해방돼 원래대로 돌아왔다고 하는 게 맞겠지만요."

『…….』

"이제 남은 건 저희 셋…… 《풍황취장》, 《마황인장》, 《철기강장》…… 그 무적의 마장성이…… 인간이기를 포기했기에 인간을 초월했을 터인 마장성이…… 인간 마술사에 의해, 부조리에 저항하는 사람들의 의지에 의해 여기까지 격파당한 겁니다. 저는…… 인간의 강함을 다시 한번 깨닫게 된 듯한 느낌이에요. 인간이 이 정도까지 강하다면…… 제가 해온 일들은…… 티투스 님의 이상은 그저 일방적이고 필요 없었던 악이 아니었을까요?"

『너무 과대평가하는 게 아닌가? 네가 말하는 인간의 강함이란 세리카 개인의 강함일 뿐 인간 전체에 해당하는 게 아니다만.』

"……그럴까요?"

망설임을 품은 실 비사에게 아르 칸은 계속 말했다.

『어찌 됐든 우리는 마술사다. 주군을 향한 충성심을 미덕으로 삼는 기사가 아니지. 「그대, 바라는 것이 있다면 타인의 소망을 화로에 지펴라」……그대가 바라는 바를 행하도록..』

그리고 그 말을 끝으로 등을 돌려 떠나려 했다.

"……어디에 가는 거죠?"

『내 책무를 다하러 간다. 내 역할은 89계층 《예지의 문》을 지키는 것이니.』

아르 칸은 그대로 마치 환상이었던 것처럼 검은 안개 속으로 사라졌다.

"……."

실 비사는 그런 그를 배웅하듯 허공을 주시했다.

"……내가 해야만 하는 일…… 내가 할 수 있는 일……."

그리고 손을 앞으로 내밀었다.

단아한 손놀림으로 허공에 빙글 원을 그리자 마력이 차오르더니 마치 거울처럼 변했다.

그리고 그 거울이 비친 영상에서 아세로 이엘로와 지상에서 전투 중인 반역자의 모습이 보였다.

"……저 남자가…… 세리카의 제자?"

진지한 눈으로 그 전투를 지켜보던 실 비사는 곧 놀라워하는 표정을 지었다.

'평범한 인간이…… 이렇게까지 싸울 수 있다니…….'

인간이란 무력한 존재.

그래서 실 비사는 먼 옛날 인간이기를 포기했다. 어느 거대한 위협에 대항하기 위해.

하지만 인간이면서도 인간이 아닌 존재에 맞서는 반역자의 모습은 어딘지 모르게 빛을 발하는 것처럼 보였다.

'……감상(感傷)이네요. 이미 인간을 그만둔 제가 이제 와서 고민해봤자 소용없는 일인데.'

그렇게 계속 전투를 지켜보던 어느 순간.

'……어머?'

문득 깨달았다.

그 반역자의 후방에서 바람 마술로 엄호하는 은발 소녀의 존재를.

"이 아이……."

이유는 알 수 없었다. 알 수 없었지만.

"……."

실 비사는 어째선지 그 소녀에게서 시선을 뗄 수 없었다.

아세로 이엘로와 반역자의 존재는 어느새 머릿속에서 사라지고 그저 소녀의 모습만을 하염없이 쳐다보았다.

―――.

『우오오오오오오오오오오오오오!』

질주. 마도를 십자 형태로 가로지르는 넓은 길을 흑마가 씩씩하게 다리를 휘두르며 끄는 거대한 전차가 마치 폭주하는 것처럼 내달렸다.

말이 한 번 발굽을 디딜 때마다 돌로 포장된 지면이 부서지고 튀어 올랐다.

푸른 불꽃을 뿜어 올리며 회전하는 바퀴.

하늘 높이 타오르는 푸른 불꽃의 궤적이 지면을 새기며 세상을 파랗게 태웠다.

『죽어라아아아아!』

그리고 전차를 모는 마인은 차량 위에서 거대한 창을 내밀었다.

그 막대한 물리량을 모조리 창 끝에 담아서 질주했다.

"《백은의 빙랑이여·눈보라를 두르고·질주하라》!"

글렌은 흑마 《아이스 블리자드》를 영창했다.

"《울어라 폭풍의 철퇴》!《츠바이》!《드라이》!"

시스티나가 흑마 【블래스트 블로】를 영창했다.

둘에게는 현재 남루스의 《아르스 마그나》의 힘이 부여된 상태다.

그래서 누가 봐도 모던이라는 생각이 들지 않는 엄청난 위력으로 승화된 마술이 발동되었다.

글렌의 손에서는 거대한 고드름으로 이루어진 폭풍이.

시스티나의 손에서는 맹렬한 바람의 파성추들이.

다가오는 마인, 아세로 이엘로를 향해 곧장 날아갔다.

『소용없다!』

하지만 아세로 이엘로의 아다만타이트로 이뤄진 육체에는

전혀 통하지 않았다.

전부 주위로 튕겨나갔고 돌진의 기세조차 조금도 늦추지 못했다.

"하얀 고양이!"

"알고 있다구요!《찬란하게 빛나는 수호·그 격벽 오중주》!"

시스티나가 즉흥 개변한 흑마【포스 실드】를 영창했다.

그러자 아세로 이엘로의 돌진 루트를 차단하듯 벌집 구조의 마력 장벽이 다섯 장으로 겹쳐서 출현했다.

『소용없다! 소용없어! 소용없느니라!』

하지만 전차로 달려오는 아세로 이엘로는 그것들을 전부 정면에서 관통했다.

유리가 깨지는 듯한 소리를 내며 파괴된 마력 장벽들이 허무하게 소멸되었다.

다음 순간.

『소용없다!』

아세로 이엘로의 창이 글렌과 시스티나를 향해 쇄도했다.

"큭!"

"읏!"

글렌은 신체능력 강화 술식을 전개하고 시스티나도 슈투름을 발동해서 각자 다른 방향을 향해 날아오르자, 전차가 그 사이로 착지했다.

거대한 충격음에 흔들리는 마도.

굴강한 말굽이 대지를 건물과 함께 짓뭉개버리는 동시에 토사가 기둥처럼 높이 솟구쳤다.

바퀴가 내뿜는 푸른 불꽃이 인화해 주위를 형형하게 불태웠고, 착지에 휘말린 건물이 마치 설탕 공예품처럼 잇따라 무너져내렸다.

"……저, 저게 대체 뭐야!"

근처 건물 지붕을 넘어 공중으로 날아올랐던 글렌은 밑에서 펼쳐진 비현실적인 파괴행위에 뺨이 파르르 떨리는 것을 느꼈다.

"저기에 휘말리면 카운터 스펠도 소용없겠군. 바로 다진 고기가 되겠어."

그렇게 혼잣말을 중얼거리는데 별안간 그림자가 머리 위를 가렸다.

기척을 느끼고 고개를 든 순간.

『흐으으으으으으으읍!』

그곳에는 전차에 탄 아세로 이엘로가 있었다.

어느새 머리 위로 날아오른 그가 글렌을 노리며 창을 내지르고 있었다.

"그, 그런 식으로 움직이는 전차가 어딨어?!"

자신의 상식을 깨부수는 움직임은 놀라웠지만, 그렇다고 당황하지는 않다.

탕!

바로 허리 뒤춤에서 플린트락 피스톨을 뽑아 조준 과정 없이 방아쇠를 당겼다.

마총(魔銃) 《퀸 킬러》.

구형 탄두가 공기를 찢는 소리와 함께 글렌을 중심으로 소용돌이를 그리는 듯한 궤적을 그렸다.

그리고 그 탄두가 아세로 이엘로의 옆머리를 강타하자, 그 충격으로 글렌을 노리던 창의 궤도가 어긋났다.

"우오오오오오오오오오오!"

그 창을 발로 걷어찬 글렌이 공역에서 이탈한 순간.

《풍왕의 검이여》!"

지붕 위를 바람처럼 날아가던 시스티나가 그 틈을 노리고 주문을 날렸다.

흑마【에어 블레이드】.

다만 목표는 아세로 이엘로가 아니었다.

날카로운 세 개의 바람 칼날이 노리는 건 다름 아닌 말 쪽이었다.

『멍청하긴!』

하지만 말에 분명히 명중했던 바람 칼날은 오히려 튕겨나가며 산산이 흩어졌다.

『아다만타이트로 이루어진 내 애마에게 「어리석은 자의 송곳니」가 통할 성싶으냐!』

아세로 이엘로의 마차가 지상에 착지하자, 거대한 충격음과 동시에 대지가 뒤흔들렸다.

공격은커녕 접근조차 허락지 않는 저 압도적인 위용과 존재감.

"치잇! 저게 바로 그 《검은 화차》인가!"

글렌은 동화 《멜갈리우스의 마법사》를 떠올리며 외쳤다.

"하긴 아세로 이엘로는 원래 《불꽃의 배》나 《빛의 거인》 같은 성가신 마도 기동병기들을 소유한 치사한 마장성이었지!"

"어떻게든 저 무적의 마차에서 끌어내리고 싶은데 말이에요!"

그러자 시스티나가 옆에 바람처럼 착지했다.

"그래. 하지만……."

글렌은 수십 미트라 너머에 있는 아세로 이엘로를 응시하며 말했다.

"하얀 고양이."

"여긴 나한테 맡기고 가."

"예?!"

"넌 이 일대 주민들의 피난을 도와."

그리고 조금 전과는 다른 권총을 꺼냈다.

퍼커션식 리볼버.

그의 최고의 파트너인 마총 《페네트레이터》를.

"……애초에 **저 녀석을 상대하는 건 내 역할이야.** 알잖아?"

"……!"

"부탁하마."

"알겠어요. ······제가 없는 데서 멋대로 죽지 마세요!"

바로 글렌의 의도를 깨달은 시스티나는 《슈투름》을 써서 왔을 때와 마찬가지로 바람처럼 떠나갔다.

『놓 칠 까 보 냐!』

그러자 아세로 이엘로가 즉각적으로 팔을 휘둘러 등을 보이며 날아가는 시스티나를 향해 창을 투척했고, 그 창끝이 나선 형태로 대기를 가르며 그녀의 등에 닿으려던 순간.

"꺼져! 멍청아!"

글렌이 마총 《퀸 킬러》를 휘둘렀다.

그러자 아세로 이엘로를 쏜 후 공중에서 대기 중이던 구형 탄두가 벼락처럼 날아가 창을 때렸다.

카앙!

창의 궤도를 바꾼 것을 끝으로 힘을 잃은 탄두는 지면으로 떨어졌지만, 시스티나는 그 틈에 시야에서 완전히 사라졌다.

『······참으로 기묘한 마술을 쓰는군. 뭐지? 그 쇠막대기는.』

"하! 글쎄. 과연 뭘까······?"

짜증을 드러내는 아세로 이엘로 앞에서 글렌은 허리 뒤춤에 《퀸 킬러》를 꽂았다.

이 단발식 마총을 쓸 때는 리캐스트 타임 1분간의 재장전 시간이 필요하다.

그리고 이 마총의 공격력은 아세로 이엘로에게도 어느 정도 효과가 있었다. 물론 대미지는 주지 못하지만, 앞서 본대로 공격을 빗나가게 하거나 충격으로 빈틈을 만들어 줄 수 있었다.

'문제는 그 시간을 과연 어떻게 버느냐……인데.'

솔직히 시스티나의 엄호가 간절한 상황이었다.

남루스가 걸어준 《아르스 마그나》가 있긴 해도 아세로 이엘로는 혼자서 감당하기엔 너무나도 막강한 적이었다.

그래도 여기선 혼자서 싸울 수밖에 없었다.

그녀의 도움을 받아서는 안 된다.

왜냐하면…….

'……그런 건 **안 적혀 있었으니까.**'

참으로 골치 아픈 상황이다.

롤랑 엘트리아가 아직도 살아있었다면 한 대쯤 세게 패주고 싶은 심정이었다.

'하지만 해내고 말겠어! 그 결과가 그 녀석의…… 세리카의 돌파구를 열어줄 테니까!'

그렇게 각오를 다진 글렌은 저 멀리 있는 아세로 이엘로를 손가락으로 겨누며 주문을 영창했다.

"《사나운 뇌제여·극광의 섬창으로·꿰뚫어라》!"

손끝에서 해방된 극광의 뇌창.

그것이 아세로 이엘로의 머리를 노리고 일직선으로 날아갔다.

『소·용·없·다아아아아아아아아!』

하지만 개의치 않은 그는 고삐를 당기고 채찍을 휘둘러 다시 돌진을 개시했다.

날린 뇌창을 간단히 튕겨내고 이번에도 바퀴로 파괴를 흩뿌리며 단숨에 글렌을 향해 육박했다.

빠르다. 그야말로 신속.

그 돌진은 마치 청색과 흑색으로 이루어진 섬광과도 같았다.

"치잇!"

글렌은 신체능력 강화 술식에 마력을 전력으로 쏟아붓고 반사적으로 옆으로 몸을 날렸다.

닿지 않았다. 완전히 피했을 터.

그런데도 돌진이 일으킨 충격파에 몸이 저 멀리 튕겨 날아갔다.

"우와아아아아아아아아아앗?!"

벽에 충돌하자 건물이 무너졌다.

남루스의 《아르스 마그나》가 없었다면 온몸이 산산조각이 나서 죽었으리라.

"쿨럭! 컥! 제길. 역시. 힘들어……!"

글렌은 잔해를 해치고 피를 토하며 일어났다.

저 멀리서 도무지 전차답지 않은 경쾌한 움직임으로 다시 이쪽을 향해 회두한 적의 모습이 보였다.

《철기강장》 아세로 이엘로.

아다만타이트로 그 신체를 구성하고 다양한 기동병기를

다루는 공포의 마인.

모든 물리적·마술적 공격이 통하지 않는 것에 그치지 않고 사실상 그 몸 자체가 어지간한 무기나 마술을 아득히 뛰어넘는 위력을 지녔다.

그리고 그런 마인이 소유한 기동병기 중 하나인 《검은 화차》.

저건 사실 이미 작동한 마도기나 다름없는 것이다 보니 마술의 발동 그 자체를 봉쇄하는 것에 불과한 글렌의 《광대의 세계》는 효과가 없었다.

'하지만…… 그래도 이 세계에서 저 녀석을 상대로 승산이 있는 건 나뿐이야.'

글렌은 벨트에 찔러 넣은 애총의 그립을 슬쩍 내려다보았다.

문제는 저 괴물 같은 전차 위에 있는 아세로 이엘로에게 과연 어떻게 접근해서 빈틈을 만드느냐였다.

'에잇, 이제 와서 고민해봤자 소용없잖아! 해내는 수밖에!'

퉷!

글렌은 피를 뱉고 앞을 응시했다.

『죽어라아아아아아아아아!』

다시 고삐를 당기고 흑마에 채찍을 휘두른 아세로 이엘로는 주위에 파괴를 흩뿌리며 돌격을 개시했다.

"우오오오오오! 《홍련의 사자여·분노에 몸을 맡기고·사납게 울부짖어라》!"

하다못해 시야라도 가릴 수 있기를 빌며 글렌은 흑마【블레이즈 버스트)를 영창했다.

『소용없다고 했다!』

하지만 아세로 이엘로는 눈앞에서 터지는 폭염 따위 무시하고 일직선으로 창을 내질렀다.

—————.

글렌과 아세로 이엘로가 싸우고 있다.

글렌이 사력을 다해 아세로 이엘로와 싸우고 있었다.

아니, 그것은 이미 전투라 할 수도 없는 광경이었다.

필사적으로 뛰어다니는 글렌을 전차가 맹렬히 추격하고 있을 뿐.

글렌의 공격이 전혀 통하지 않았고, 아세로 이엘로의 전차 돌격은 매초마다 글렌의 육체와 정신을 갉아먹고 있었다.

"흐읍!"

좁은 골목길에 몸을 날린 글렌은 땅을 구르는 동시에 왼팔을 휘둘러서 손목에 숨긴 강사(鋼絲)를 사방에 종횡무진 설치했다.

버나드에게서 배운 강사결계를 단숨에 거미줄처럼 완성한 것이다.

『소용없다!』

섣불리 달려든 상대의 몸을 큐브 스테이크처럼 절단해버

릴 수 있는 위험한 수단이지만, 아세로 이엘로의 전차는 그것을 툭툭 끊어내며 아무렇지 않게 돌파했다. 상처 하나 입지 않고.

"치잇!"

그것을 보자마자 폭정석을 꺼내고 이로 봉인의 룬을 깨물어서 훼손시킨 글렌은 도약하는 동시에 코앞까지 다가온 전차를 향해 집어던졌다.

쾅!

성대한 폭염을 올리는 폭발이 전차를 두들겼다.

『소용없다!』

하지만 전차는 그 폭염조차 태연하게 반으로 가르며 튀어나왔다.

아세로 이엘로의 몸에는 그을음조차 묻지 않았다.

계속해서 도주를 시도하는 글렌.

계속해서 그 뒤를 쫓는 아세로 이엘로.

"제길! 이거라면……!"

글렌은 세 갈래 길에서 오른쪽으로 아세로 이엘로를 유도했다.

시선을 슬쩍 들어서 건물 위에 거대한 종루가 있는 것을 확인한 후.

"핫!"

나이프를 몇 자루 투척했다.

은색 궤적을 그리며 종루의 중심 기둥에 나이프가 틀어박혔다.

　그 칼날에 새긴 《풍화》의 룬이 단숨에 기둥을 너덜너덜하게 만들자 중력의 멍에에 사로잡힌 거대한 종루가 길 쪽으로 무너져 내리며 때마침 그 밑을 지나가던 아세로 이엘로를 머리부터 집어삼켰다.

　마치 이 도시 전체를 뒤흔드는 듯한 충격음과 동시에 흙먼지가 솟구쳤다.

　『소용없다아아아아아아!』

　하지만 아세로 이엘로는 이조차 개의치 않으며 바퀴를 크게 회전시키며 질주하는 동시에 글렌을 노리고 창을 내질렀다.

　"넌 대체 어떻게 해야 멈추는 건데?!"

　글렌은 뒤로 도약하는 동시에 스크롤을 펼쳤다.

　『소용없다아아아아아아아!』

　곧바로 눈앞에 빛의 마력장벽이 전개되었지만, 전차는 섬광처럼 그 옆을 스쳐지나가는 동시에 창으로 긁어서 그것을 깨트렸다.

　"……커헉?!"

　그러자 전차의 충격파에 말려든 글렌의 몸이 골목 밖으로 날아가더니 바닥을 몇 번이나 튕기며 성대하게 굴렀다.

　직격이 아닌데도 이 위력.

　역시 이건 전투라고조차 볼 수 없었다.

『우오오오오오오오오오오!』

그리고 아세로 이엘로는 한 치의 자비심도 없이 전차를 몰았다.

머리 위에서 회전하는 창이 파공성과 함께 소용돌이를 일으켰고 크게 회전하는 바퀴가 바닥에 푸른 불꽃을 피워올렸다.

"망할!"

구르는 기세를 이용해 몸을 일으킨 글렌은 그대로 뒤로 점프하더니 건물 벽을 두세 번 박차 지붕 위로 올라갔다.

『놓치지 않겠다!』

하지만 아세로 이엘로도 고삐를 당기자 전차를 끄는 흑마들이 하늘 위로 높이 도약했다.

그리고 건물 벽을 분쇄하며 지붕 위에 착지하자마자 달아나는 글렌을 노리고 다시 진군을 개시했다.

이미 전차라는 개념을 초월한 기동성으로 끝까지 따라붙었다.

『일국의 군대를 전부 짓뭉개버린 적도 있는 내 바퀴로부터 달아날 수 있을 것 같으냐!』

"전차는 그런 병기가 아니거든?!"

글렌은 그렇게 말대꾸를 하는 한편.

'56, 57, 58……'

머릿속으로는 냉정하게 시간을 쟀다.

『우오오오오오오오오오오오오오!』

그리고 이번에야말로 아세로 이엘로의 거대한 창이 글렌을 꿰뚫으려 한 바로 그 순간.

"……60! 딱 1분! 재장전 완료!"

글렌은 초고속으로 뽑은 《퀸 킬러》를 오른쪽 허리 옆에 붙이고 몸을 비틀며 패닝으로 연사했다. 그러자 총구에서 배출된 소형 대포급 위력의 탄환이 물리법칙을 완전히 무시한 움직임을 보였다.

『으으음?!』

호선을 그리며 창을 쳐서 튕겨내고, 지그재그로 날아가 흑마를 좌우로 날려버리고, 아세로 이엘로의 가슴에 직격해 전차와 함께 뒤로 날려버린 것이다.

"치잇!"

글렌은 그 틈에 연막탄을 바닥에 던지고 연기가 피어오르는 사이에 뒷골목으로 몸을 던졌다.

딱히 도주가 목적인 건 아니었다. 다음 「설계」를 숨기기 위해서다.

아세로 이엘로에게 있어서 글렌은 명백히 격이 떨어지는 상대다.

글렌이 사용하는 건 하나 같이 자신들이 「어리석은 자의 송곳니」라 부르며 경멸하는 수준 낮은, 마술이라 하기에도 부끄러운 마술들뿐.

그것만으로도 모멸해야 마땅한 대상인데 이 글렌이란 남

자는 마술조차 아닌 기묘한 무기와 도구까지 다수 섞어서 사용했다.

마술이야말로 지고의 힘이자 이 세상을 지배하는 진리라 굳게 믿어 의심치 않는 아세로 이엘로에게 그런 상대를 단숨에 밟아죽이지 못하고 이토록 시간을 지체하는 현 상황은 굴욕 이외에 그 무엇도 아니었으리라.

『이, 이, 네 이 노오오오오오오오오오오오오옴!』

격노. 격분. 격정.

이미 냉정함을 잃은 아세로 이엘로는 분노를 불태우며 어떻게든 한시라도 빨리 글렌을 밟아죽이기 위해 맹추격을 감행했다.

한편, 마도의 백성들은 그런 글렌을 싸움을 멀리서 지켜보고 있었다.

이 고대의 초마법문명을 살아가는 그들은 당연히 「어리석은 자의 송곳니」라 불리는 유사 마술을 쓸 수 있었기에, 지금 그 마술을 써서 전투를 관전하고 있었던 것이다.

"저게…… 뭐지?"

"싸우고 있어? 저 《철기강장》 아세로 이엘로 님과……?"

초마법문명인 이 시대의 인간은 두 종류로 나뉜다.

하이 룬의 적격자. 하이 룬으로 마술을 쓸 수 있는 선택받은 자 「마술사」.

로우 룬의 부적격자. 로우 룬으로 가짜 마술밖에 쓸 수 없는 「어리석은 백성」.

마술사와 어리석은 백성 사이에는 어마어마한 역량 차가 존재했기에 어리석은 백성은 절대로 마술사에겐 이길 수 없었다. 그래서 거역하지 못했다. 거역해선 안 됐다.

어리석은 그들은 현명한 마술사들의 노예이자, 하인이자, 가축.

그것이 이 세계의, 이 시대의 절대적이자 보편적인 율법이었다.

그런데도…….

"맞서 싸우고 있다고……?"

"저 사람은…… 대체……."

"저 녀석의 저 마술은, 마술사의 그게 아냐. ……우리랑 같은 백성이잖아?"

"그런데도…… 싸우고 있다고?!"

이 세계를 지배하는 마술사들의 정점에 서서 어두운 밤하늘에 찬란히 빛나며 땅에 부복한 자들을 내려다보는 자들의 칭호. 그게 바로 「마장성」.

놀랍게도 그런 마장성에게 자신들과 같은 어리석은 백성이 싸우고 있었던 것이다.

그저 도망치고 있는 것뿐일지도 모르지만, 그럼에도 필사적으로 싸우고 있는 것이다.

그렇게 분전하는 글렌의 모습에 마술적인 시야로 그 싸움을 지켜보는 민중의 생각은 점점 하나로 일치되기 시작했다.

즉, 시간 낭비, 무의미, 바보짓, 개죽음이라는 부정적인 생각으로.

"칫! 저 녀석, 바보 아냐? 뭘 저렇게 필사적으로 애쓰는 건지……."

"어차피 마술사들을 이길 수 있을 리 없잖아……."

"그 세리카조차 못 이겼는데…… 싸워봤자 소용없는데……."

"참 나…… 어차피 저 남자도 곧 죽을 게 뻔해."

마도의 누구나가 글렌을 어리석다고 비웃었다.

그리고 얼마 전에 마왕을 거역하고 싸웠던 세리카를 비웃었다.

"빨리…… 빨리 좀 죽어! 볼썽사납다고!"

"대체 언제까지 버틸 건데! 진짜 짜증나는 인간이네!"

"어서! 어서! 어서……!"

『하하하하하하! 이제 슬슬 포기하는 게 어떠냐! 이것이 바로 너희들! 어리석은 백성의…… 가축의 한계다!』

아세로 이엘로는 반격하는 글렌을 희롱하며 큰 소리로 비웃었다.

하지만 글렌 역시 한 치도 물러서지 않고 외쳤다.

보기에도 처참한 몰골로 피를 토해가며 지지 않겠다는 듯 외쳤다.

『시꺼, 이 바보 자식아! 인간을 얕보지 말라고!』

그런 글렌의 모습은 마도의 백성들을 매우 짜증스럽게 했다.

"불쾌해!"

"짜증나서 견딜 수가 없어! 대체 뭐야! 저 자식은!"

"빨리 좀 죽어…… 제발 좀 뒈지라고!"

그렇게 글렌에 대한 짜증과 불쾌감이 한없이 고조되었다.

하지만 관전을 그만두려는 자는 거의 없었다.

절대적인 상위 계급이자, 세계에 군림하는 마술사들의 정점인 마장성.

오랜 세월 동안 자신들을 불합리하게 학대해온 마장성과 일개 백성의 격돌.

그 싸움에서 눈을 떼지 못했다. 아니, 뗄 수가 없었다.

이상하게 계속 시선이 가는 것을 막을 수 없었다.

그렇다.

그들은 표면상으로는 전부 체념하고 절망에 잠긴 것처럼 보였지만, 실제로는 기대했던 것이다.

어리석은 백성이 마술사를 타도하는 그 광경을 보는 것을.

누구나가 입에 담지는 않았지만, 마음속 어딘가에서는 막연히 그런 기대감을 품었던 것이다.

"흐, 흥……"

"시시해. 어차피 무리라구."

"아무리 애써봤자 어리석은 백성이 마술사를 이길 수 있을 리 없지."

하지만 누구나가 그런 식으로 자기 합리화를 하려 한 순간.

산산이 부서진 처형 광장에 모여 글렌의 싸움을 지켜보는 백성들 사이에 섞여 있던 한 소녀가 갑자기 이런 말을 중얼거렸다.

"……왜 저 사람은 혼자서 싸우고 있는 거야?"

조금 전에 글렌이 처형에서 구해낸 붉은 머리와 보라색 눈동자를 지닌 나이 어린 소녀였다.

""""……?!""""

그리고 소녀의 그 말을 들은 주위의 어른들은 일제히 얼어붙었다.

————.

"이쪽이에요! 자, 어서! 서두르세요!"

한편, 마도의 다른 지역에서는 시스티나가 싸우는 소리를 듣고 혼비백산해서 달아나는 민중을 이끌고 있었다.

때로는 어쩔 수 없이 마술로 협박도 해가며 솜씨 좋게 피난을 유도했다.

그런 와중에 그녀는 원견(遠見) 마술로 글렌의 전투 상황을 살폈다.

"서, 선생님······!"

당장에라도 질 것만 같은 글렌의 모습을 본 시스티나는 이 곳을 포기한 채 바로 도우러 가고 싶은 충동에 사로잡혔다.

하지만 그럴 수는 없었다.

그런 일은 **적혀 있지 않았으니까.**

그리고 글렌의 수법과 전략을 잘 아는 자신이 미리 사람 들을 피난시켜두지 않는다면 그는 희생을 우려해 전력으로 싸울 수 없으리라.

자신의 참전은 오히려 그를 더 빠른 죽음으로 내모는 행 위가 될 터.

'견뎌! 견디는 거야, 시스티나! 선생님이라면 분명 해내실 테니까!'

그렇다.

이 싸움은 전혀 승산이 없는 게 아니었다.

하지만 가능성의 바다를 떠도는 미래는 늘 불확실한 법.

글렌이 어떻게 될지는 아직 아무도 알 수 없었다.

'지금은 우선 선생님이 마음 놓고 싸우실 수 있도록······!'

시스티나는 그렇게 조바심을 억누르며 자신의 임무에 전 념했다.

············.

············.

그리고 그런 그녀를 뒷골목에서 관찰하는 자가 있었다.

"……당신은 대체?"

하얀 외투를 걸친 은발 여성, 실 비사였다.

어떤 마술을 쓴 건지 주위의 아무도 그녀의 존재를 눈치채지 못했다.

"……."

한동안 시스티나의 모습을 조용히 관철하던 그녀는 곧 뭔가를 결심한 듯 소리 없이 천천히 걸음을 옮겼다.

그리고 아직도 자신의 존재를 눈치채지 못한 시스티나의 등을 향해 손을 내밀었다.

―――.

"기다려! 세리카! 어딜 가려고!"

르 실바가 세리카의 팔을 움켜잡고 외쳤다.

"이거 놔! 난 글렌을 구하러 갈 거다!"

세리카는 그 팔을 뿌리치며 화가 난 얼굴로 소리쳤다.

이곳은 마도의 모처(某處). 마술로 그 이면에 구축한 이계이자 아무것도 없이 새카맣기만 한 허무의 공간이었지만, 그래선지 공중에 떠 있는 마술로 만들어진 거울이 유독 눈에 띄었다.

그리고 그 거울은 현재 아세로 이엘로와 싸우는 글렌의

모습을 비추고 있었다.

"저 바보……! 대체 왜 저런 곳에 있는 건데! 왜 그 신전에서 얌전히 있지 않은 거야! 라 틸리카는 대체 뭘 하고 있는 거냐고!"

"진정해, 세리카! 이건 결코 나쁜 상황이 아니야!"

르 실바는 그 가냘픈 팔만 봐선 상상조차 할 수 없는 완력으로, 손을 뿌리치려는 세리카를 단단히 붙잡았다.

"글렌, 이라고 했지? 저 사람이 바로 그 아세로 이엘로와 싸워주고 있잖아! 이대로 아세로 이엘로가 글렌에게 집중하느라 《비탄의 탑》의 수비 범위를 벗어난다면…… 당신은 다시 《비탄의 탑》으로 돌입할 수 있어! 오히려 이건 찬스라구!"

그러자 세리카는 르 실바의 멱살을 잡고 소리쳤다.

"지금 중요한 건 그딴 게 아니야! 저 녀석은 내 제자라고!"

"……?!"

그 험악한 기세에 르 실바는 한순간 눈을 크게 부릅뜨고 입을 다물었다.

"미, 미안……."

그리고 곧 미안한 듯 시선을 내리깔며 사죄했다.

"설마 당신이 그렇게까지 걱정하는 사람이 있을 줄은…… 난 상상조차 못 했어……."

"……칫!"

세리카도 이성을 되찾고 르 실바의 멱살을 놓았다.

"알았으면 이 손 놔. 이제 숨어 있는 건 끝이야!"

하지만 르 실바는 세리카의 팔을 놓지 않았다.

"그래도…… 안 돼, 세리카. 여길 나가는 건."

그리고 세리카의 눈을 똑바로 응시하며 담담한 어조로 말했다.

"왜!"

"지금 당신은 전력으로 몇 번이나 싸울 수 있는 상태가 아니잖아!"

그 지적에는 서슬이 퍼랬던 세리카도 굳어버릴 수밖에 없었다.

"내가 모를 줄 알았어? 당신의 그 쇠약해진 상태를! 가볍게 「어리석은 자의 송곳니」를 써서 잔챙이들을 쓸어버리는 건 가능할지 모르지만, 마장성 클래스의 적과 진심으로 몇 번이나 싸우는 건 당신 몸이 버티지 못해! 여기서 싸우면 당신은 마왕과는 싸울 수 없다구!"

"그, 그건……!"

"혹시 잊었어?! 당신이 마왕을 못 이기면 당신의 제자를 미래로 돌려보내는 것도 불가능하다구!"

"하지만…… 그 전에 글렌이 죽어버리면 의미가 없잖아!"

세리카는 눈물을 글썽이며 악을 썼다.

"그렇다고 지금 당신이 대체 뭘 할 수 있는데! 저 마장성은 당신 같은 마술사의 천적이야! 부탁이니 참아! 지금은 참고 견뎌야 해!"

"그, 그치만……"

"거기다…… 있는 거잖아? 당신의 제자에겐 저 마장성을 쓰러트릴 비장의 수단이!"

"……?!"

르 실바에 지적에 세리카는 눈을 크게 떴다.

"여기서 밖에 있는 아세로 이엘로의 상황을 살피던 당신이 무심코 중얼거리는 걸 들었어. ……「글렌이 있었으면 저 딴 녀석쯤은 상대도 안 됐을」거라고."

"그, 그건……"

"……난 솔직히 농담인 줄만 알았어. 그야 글렌은 누가 봐도 명백한 「어리석은 백성」이었는걸. 그러니 저 아세로 이엘로를 해치울 수 있을 리 없을 거라고. 하지만……."

르 실바는 다시 거울 속에서 싸우고 있는 글렌에게 시선을 돌렸다.

완전 만신창이가 됐음에도 적에게서 결코 시선을 떼지 않는 그의 눈을 바라보았다.

"그의 저 눈은…… 응, 결코 장난이나 허세가 아니야. ……정말로 있는 거지? 저 아세로 이엘로를 해치울 수단이."

"……."

세리카는 입을 다물었다.

하지만 그것은 긍정을 의미하는 침묵이었다.

"그럼 믿어보자, 세리카."

르 실바는 세리카의 손을 잡고 그녀의 얼굴을 똑바로 올려다보았다.

"당신은 분명 이런 상황을 고려하지 않았겠지만…… 이렇게 당신이 미래에서 돌아오고, 그런 당신의 뒤를 쫓아 이 시대로 온 당신 제자. 그런 그가 이렇게 싸우고 있는 건…… 분명 운명일 거라고 생각해."

"……."

"믿는 거야, 세리카. 당신 제자를. 이 절박한 상황, 닫혀버린 미래를 그가 열어주는 걸 믿어보는 거야! 솔직히 좀 신기해. 저 싸우는 모습…… 부조리에 온 힘을 다해 저항하는 저 모습을 보고 있으면…… 이 썩어빠진 세계에서 정말 오랜만에 「인간다운 인간」을 본 것 같은 기분이 들어! 저 사람이라면 분명 해낼 거라는 예감이 든다구!"

"……아니야. 저 녀석은 그냥 재능 없는 삼류……."

하지만 르 실바의 말을 부정하려던 세리카는 곧 입을 질끈 다물고 고개를 흔들었다.

'이제 와서 무슨 소릴 하려는 거야. 저 녀석이 그냥 재능 없는 삼류 마술사라고? ……그래, 확실히 마술사로서의 격만 놓고 보면 그렇겠지. 하지만……'

지금까지 글렌은 언제나 늘 이런 치명적인 위기들을 자신의 힘으로 헤쳐 왔다.

그저 올곧게 자신이 해야 할 일을 해내기 위해, 조금이라도 슬퍼하는 사람을 줄이기 위해 엉망진창이 되면서까지 필사적으로.

한때는 마음이 완전히 꺾여 주저앉아버렸던 적도 있었지만.

그래도 지금은 다시 일어나서 언제나 누군가를 위해 믿을 수 없는 기적을 몇 번이나 이뤄내지 않았는가.

이렇게 말하는 자신도 그런 그에게 몇 번이나 구원받지 않았는가.

글렌이 없었다면 지금의 자신은 결코 존재할 수 없었다. 자신이야말로 그가 일으킨 기적의 산증인이었다.

그러니—.

'부탁한다…… 글렌!'

세리카는 떨리는 손을 꽉 쥐었다.

'너에게 의지할 수밖에 없는 모자란 날 용서해줘! 날 도와줘! 그리고 제발…… 죽지 마라……!'

그리고 그런 기도하는 심정으로, 애원하는 심정으로 거울 너머의 글렌에게서 시선을 떼지 않았다.

————.

"저 사람은 왜 혼자서 싸우는 거예요? 왜 아무도 도와주지 않는 거예요?"

소녀의 그 소박한 의문에 주위의 어른들은 한동안 입을 열지 못했지만, 곧 황급히 변명을 입에 담기 시작했다.

"저 남자는…… 마, 맞아! 나쁜 놈이야!"

"그, 그래! 우리의 위대하신 왕, 티투스 님께 반항하는 아주 못된 놈이란다."

"그래서 티투스 님의 부하인 아세로 이엘로 님이 천벌을 내려주고 계신 거지."

"우리가 그런 놈을 도와서야 되겠어?"

하지만 소녀는 그런 어른들에게 말을 멈추지 않았다.

"그치만…… 저 사람은 날 구해줬는데……."

"그, 그건……."

"난 아무 나쁜 짓도 안 했는데도 죽을 뻔 했는데…… 저 사람은 그런 날 도와줬어요. 있잖아요. 정말 나쁜 건 누구예요?"

"아, 아니, 그러니까 그건……!"

"다들 저 사람이 나쁘다고 하지만…… 난 그렇게 생각 안 해요! 옳은 건 분명 저 사람이에요! 정말로 나쁜 사람은 분명 임금님이라구요!"

"얘, 얘가 어디서 경을 치려고 그런 소릴!"

"난 널 그런 애로 키운 기억이 없어! 부끄러운 줄……."

소녀의 지적에 부모가 화를 냈지만, 곧 그들과 주위의 어른들은 자신들이 무턱대고 비난하는 인물이 했던 어떤 말을 떠올렸다.

—너희들, 부끄럽지도 않아?

"……"
모두가 소녀의 말을 반박하지 못하고 입을 다물고 말았다.
그런 고요한 분위기 속에서 소녀가 다시 입을 열었다.
"저기…… 저 사람, 대단하죠?"
"……응?"
"그치만 싸우고 있잖아요? 모두가 덜덜 떨면서 무서워했
던 저 마장성이랑…… 혼자서 싸우고 있잖아요? 나……."
그리고 갑자기 흐느껴 울기 시작했다.
"……왠지 눈물이 안 멈춰요. 누군가를 위해 싸운다는
게…… 이렇게……이렇게나 가슴이 뜨거워지는 일이라는 걸
오늘 처음 알았어요……."
웅성, 웅성, 웅성…….
거기서 시작된 술렁임이 서서히 퍼져나갔다.
그리고 조금씩, 조금씩 그들의 무언가를 바꾸기 시작하고
있었다.

마도 어디서나 비슷한 광경이 벌어지고 있었다.
글렌의 싸움을 지켜본 민중은 저마다 조금씩 눈이 뜨이고

있었다.

자신들 같은 「가축」과 달리, 의연하게 부조리에 저항하는 「인간」의 모습에 눈이 뜨이기 시작한 것이다.

지금까지 당연한 것처럼 여기고 체념했던 진리에 의문을 느끼고 의심을 갖기 시작했다.

그러자 곧 지금까지 완전히 박탈당했던 인간의 존엄성과 분노를 되찾기 시작했다.

그런 와중에 어딘가에서 누군가가 말했다.

"어쩌면 사흘 전의 싸움에서…… 어차피 질 거라고 방관하지 않고 우리도 세리카와 함께 왕의 군대와 싸웠다면…… 뭔가 바뀌었을까?"

"……그럴 리가. 어차피 다 죽고 끝났겠지. 개죽음이야."

"하지만 지금 이대로도 오늘이든, 혹은 내일이든…… 언제 죽을진 아무도 모르잖아? 가축에게 미래 따윈 없는걸."

"하하하…… 그러게. 지금의 우린 이미 죽은 거나 다름없는 상태였었지."

그런 식의 자문자답이 서서히 커져가는 가운데.

"……나…… 나는……!"

하염없이 눈물을 흘리며 글렌의 싸움을 지켜보던 소녀는…….

————.

"우읍?! 커헉! 이거 원, 슬슬 빡센걸……!"

글렌은 몸 위에 쌓인 잔해를 밀치며 비틀비틀 일어났다.

"후우…… 후우! 헉, 헉……."

이미 만신창이였다.

온몸에 타박상과 열상이 새겨진 피투성이의 몸. 뼈도 몇 개는 부러진 것 같았다.

남루스의 《아르스 마그나》의 영향을 받은 방어 마술을 중첩해서 걸긴 했지만, 아세로 이엘로의 공격 앞에서는 종잇장이나 다름없었다.

『우민치고는 잘 버텼다고 칭찬해주마……!』

반면, 아세로 이엘로는 멀쩡했다.

흉포한 마차를 천천히 몰면서 도발하듯 글렌의 주위를 빙글빙글 돌고 있었다.

『솔직히 지금까지 싸웠던 그 어떤 마술사보다 날 가장 애먹인 게 바로 네놈이었다.』

평범한 초일류 마술사가 상대였다면 이 전차로 그 마술과 함께 짓밟아버리고 끝났을 터.

마술 실력에 자신이 있을수록 글렌처럼 잔재주에는 의지하지 않는 경향이 있기 때문이다.

그러니 아세로 이엘로에게는 더더욱 쉬운 상대일 수밖에

없었다.

『하지만 이젠 끝이다. 슬슬 한계겠지?』

아세로 이엘로는 고삐를 당겨서 말 머리를 돌렸다.

그리고 글렌과 정면에서 대치하는 구도로 전차를 멈추었다.

『이번에야말로 혼신의 힘을 다한 돌격으로 네놈을 쳐죽여 주마. 안심하도록. 이 돌격을 정통으로 맞는다면 육체가 먼지가 돼서 이 세상에 살점 하나 남길 수 없을 터이니.』

아세로 이엘로가 고삐를 움직이자 흑마들이 제자리걸음을 시작했고, 전차의 바퀴를 감싼 푸른 불꽃의 기세가 시시각각 한없이 강해졌다.

피아의 거리는 약 20미트라.

그만한 거리가 있음에도 강렬한 열기가 글렌의 살갗을 태웠다.

'젠장! 빈틈…… 빈틈만 있으면……!'

글렌은 이를 악물며 전차의 힘을 끌어올리는 아세로 이엘로를 노려보았다.

'아주 잠깐만이라도 좋으니 저 자식의 품에 파고들 수 있는 틈이 생긴다면……!'

그 틈을 만들기 위해 지금까지 온갖 수를 다 써봤지만, 과연 역전의 전사인 마장성은 조금도 빈틈을 드러내지 않았다.

이를 테면 저 전차는 이동요새다.

모든 것을 짓밟아 파괴하는 섬멸 병기인 동시에 철벽의 방어를 약속하는 성벽인 것이다.

그걸 무너트리는 게 어지간한 방법으로는 불가능하다는 건 잘 알고 있었지만…….

'역시 무리였나? 어차피 동화는 허구에 불과하다는 거야?'

모든 수단을 다 써버린 글렌은 이를 악물 수밖에 없었다.

그런 그 앞에서 전차의 힘은 계속 상승했고, 곧 눈으로 확인할 수 있을 정도로 「폭력」이 그 바퀴와 차체에 응축되었다.

이윽고 극한까지 당겨진 시위가 마침내 해방되는 순간이 찾아왔다.

『죽어라!』

아세로 이엘로가 마지막으로 채찍을 들어올렸다.

"……?!"

글렌이 죽음을 각오한 바로 그 순간.

펑!

별안간 아세로 이엘로의 옆머리에 작은 폭발이 일어났다.

물론 아세로 이엘로는 멀쩡했다. 그 아다만타이트로 이루어진 육체에는 작은 그을음조차 묻지 않았다.

『……누구냐.』

하지만 아세로 이엘로는 굳을 수밖에 없었다.

전혀 예상치도 못했던 사태였기 때문이다. 설마 이 마도에 자신들을 거역하는 어리석은 자가 또 있을 줄은 상상조차 못 했기 때문이다.

"하아……! 하아……!"

아세로 이엘로가 주위로 눈을 흘기자, 멀리서 붉은 머리 소녀가 두 손을 앞으로 내민 채 그를 노려보는 모습이 보였다.

『어리석군. 그런 가짜 마술…… 어리석은 자의 송곳니를 이 몸에게 들이밀다니.』

"으……! 오빠……! 나, 나도……! 싸울래……!"

소녀는 계속해서 빠르게 주문을 영창했다.

그 마술은 글렌과 시스티나가 쓰는 모던보다 훨씬 정밀도가 떨어졌다.

이 시대에서 로우 룬을 사용한 마술은 진짜 마술사들에게 「어리석은 자의 송곳니」라·불리며 경시되는 잡기술에 불과했다.

하지만, 그럼에도.

펑! 펑! 펑!

소녀는 작은 화염구를 던져서 아세로 이엘로를 공격했다.

『흥…… 시시하다!』

짜증스럽게 말을 내뱉은 아세로 이엘로가 어리석은 소녀에게 천벌을 내리기 위해 머리 위로 거대한 창을 회전시킨 순간.

"우, 우오오오오오오오오오오오오오오!"

"아이를 죽게 하지 마!"

"뒈져라! 마장성!"

"마왕의 앞잡이 주제에!"

어느새 주위에서 수많은 기척이 아세로 이엘로를 포위했다.

그들의 정체는 바로 지금까지 모든 걸 완전히 체념하고 자신들에게 복종했던 민중이었다.

『음?!』

한층 더 예상치 못한 사태에 아세로 이엘로는 굳어버릴 수밖에 없었다.

그리고 백성들은 필사적으로 주문을 영창하기 시작했다.

마술사들로부터 「어리석은 자의 송곳니」라 불렸던 가짜 마술을 필사적으로.

다음 순간 사방팔방에서 화염구, 폭발, 번개, 바람 칼날, 고드름 등이 아세로 이엘로를 향해 날아들었다.

그 하나하나는 너무나도 위력이 낮다 보니 당연히 마인에게 아무런 피해도 입히지 못했다.

"빌어먹을! 우릴 무시하지 말라고!"

"우린 네놈들의 가축이 아냐! 웃기지 마!"

"인간을 얕보지 말라고!"

"뒈져버려! 이 괴물! 괴물 자시이이이익!"

하지만 누구나가 마음 깊숙한 곳에 쌓였던 분노의 불길을 지피며 그 감정에 몸을 맡긴 채 아세로 이엘로를 공격하고 있었다.

그리고 한번 붙은 불은 쉽게 꺼지지 않는 법.

그 광경을 목격한 다른 백성들도 여기저기서 하나둘씩 들고 일어나 아세로 이엘로를 향해 집중포화를 퍼부었다.

"""와아아아아아아아아아아아아아아아아아아아!"""

『마, 말도 안 돼! 가축들에게 이런 격렬한 감정이 있을 리가……!』

아세로 이엘로는 경악할 수밖에 없었다.

이 사태는 한두 명쯤 죽이는 정도로 수습될 수 없으리라.

범람한 분노가 하나의 거대한 강으로 모여 마도 전체를 뒤흔들기 시작한 것이다.

『네 이놈들! 우민 주제에…… 마술사에게 감히 반항하는 거냐아아아아아아아!』

아세로 이엘로도 분노에 몸을 맡기고 창을 바닥에 내리찍었다.

그러자 압도적이고 폭력적인 충격파가 주위로 퍼지며 백성들을 쓸어버리고 침묵시켰다.

"꺄악?!"

붉은 머리 소녀도 속수무책으로 바닥을 굴렀다.

그런 약해빠진 백성들을 흘겨본 아세로 이엘로는 비웃음

을 흘렸다.

『보았느냐! 이 어리석은 놈들! 이게 바로 나와 네놈들의 힘의 차이다! 네놈들 같은 가축이 무리를 짓는다고 해서 정말로 주인을 이길 수 있을 줄 알았느냐!』

압도적.

역시 마장성의 힘은 압도적이다.

자신들은 이길 수 없는 상대, 결코 거역해서는 안 될 대상이었다.

격정에 사로잡혀 들고 일어선 모두가 동시에 그런 절망에 사로잡힌 순간.

"《0의 전심세트》!"

머리 위에서 누군가의 목소리가 들렸다.

아세로 이엘로는 고개를 들었다. 목소리의 정체는 글렌이었다.

그가 하늘 위에서 이쪽을 향해 맹렬히 추락하고 있었다.

민중의 예상치 못한 반란에 한순간 정신을 놓아버린 아세로 이엘로의 빈틈을 노리고 단숨에 접근한 것이다.

『으음⋯⋯?!』

아세로 이엘로는 이를 악물고 신음을 흘렸다.

이만큼 가까우면 전차 돌격은 무리다.

애당초 전차의 조종은 고삐를 통해 이루어지는 것이다 보니 한 박자 반응이 늦다.

창도 지면에 꽂아버린 탓에 다시 거둬서 반격할 여유가 없었다.

즉, 글렌의 다음 공격은 그대로 맞을 수밖에 없으리라.

'상관없다! 내 아다만타이트로 된 육체는 무적인즉! 고작 우민 따위가 내 신성한 안장 위에 오르는 건 솔직히 부아가 치민다만…… 그 또한 문제가 되진 않을 터!'

아세로 이엘로는 창을 뽑기 위해 팔에 힘을 넣고 고삐를 당겼다.

'와라! 그 건방진 「어리석은 자의 송곳니」가 부러졌을 때가…… 바로 네놈의 최후다!'

자세히 보니 글렌은 오른손에 뭔가 기묘한 물건을 들고 있었다.

봉이다. 작은 봉. 철로 만들어진 것 같지만, 이제 와서 저런 작은 물건으로 대체 뭘 어쩌겠다는 건가?

'우습군! 어차피 네놈도 우민에 불과했는가……!'

속으로 비웃는 아세로 이엘로를 향해 글렌은 공중에서 그 작은 봉을 쭉 내밀어 아세로 이엘로의 가슴을 찔렀다.

그리고 외쳤다.

"【광대의 ······ 일격】어어어어어어어어어!"
_{페네트} _{레이터}

탕!

————.

─아아, 그 누구도 저 신철의 마인을 막을 수 없으리라.

─모두가 절망한 순간, 그자의 앞을 가로막은 것은 정의의 마법사의 제자였습니다.

─그는 작은 봉으로 마인의 가슴을 찔렀습니다.

─그러자 놀랍게도…… 마인은 갑자기 쓰러져서 죽고 말았습니다.

동화 『멜갈리우스의 마법사』 제10장 57절에서

단장 멜갈리우스의 마법사 III

꿈을—— 꿨다.

이제는 아득히 멀고 먼 과거의 이야기.

어느 한 마법사의 이야기를.

————.

눈보라가 사납게 휘몰아치고, 극한의 냉기가 살갗을 얼리고, 압도적인 백색 노이즈가 시야를 뒤덮었다.

그곳은 어딘가의 산 정상.

그 어떤 생물도 살아남지 못한 극저온의 빙결 지옥에서—— 세리카가 싸우고 있었다.

백은룡과 싸우고 있었다.

하늘을 뒤덮을 것처럼 거대한 날개. 은색으로 찬란하게 빛나는 산처럼 거대한 육체.

이 세상을 하얗게 지배하는 눈보라를 반으로 가르고 영혼을 뒤흔드는 포효를 내지르며 세리카를 깔아뭉개겠다는 듯 날아들었다.

"칫!⋯⋯ 감히 이 몸에게 반항하는 거냐? 쓰레기 용 주제에."

하지만 세리카는 증오와 분노가 가득한 눈으로 백은룡을 응시하며 용언어를 내뱉었다.

"후딱 좀 뒈져버리라고, 백은룡. 난 마왕을 쳐죽이러 가야 한단 말이다."

세리카가 주문을 외우자 손 앞에서 생성된 압도적 열량을 지닌 진홍색으로 빛나는 창이 주위의 눈보라를 증발시키며 세차게 타올랐다.

그리고 그것을 머리 위에서 날아드는 백은룡을 향해 투척했다.

진홍의 창이 붉은 유성이 되어 하늘을 가로질렀다.

그리고⋯⋯.

"저기, 세리카. 당신, 왜 그때 날 구한 거야?"

여행 도중, 용족 소녀 르 실바가 앞서 가는 세리카에게 질문을 던졌다.

"과거에 마왕 티투스에게 한 번 패배한 탓에 심장에 「하얀 열쇠」가 꽂힌 난⋯⋯ 마장성《백은룡장》 르 실바가 되어 인간들 위에 군림했어. 인류를 지키는 수호룡으로서 해선 안 될 실태를 범하고 말았어."

"⋯⋯."

"그 「하얀 열쇠」의 힘으로 나란 존재는《비탄의 탑》89층《예지의 문》의 열쇠가 되고 말았어.《백은룡장》이라는 존재 그 자체가 그 문의 열쇠. 즉, 날 죽여야 마왕의 앞을 굳게 가로막은 마지막 문이 열리는 구조……."

"……."

"다시 말해, 세리카, 당신이 날 죽이러 오는 건 당연한 일이었지만…… 굳이 날 구해줄 필요는 어디에도 없었어. 당신이 평범한 복수자라면 더더욱."

"……."

"모두가 입을 모아 당신을 이렇게 불렀어. 제2의 마왕, 마왕의 후계자. 당신도 그걸 부정하지 않고 마왕에게 붙은 자들을 모조리 죽여버렸어. 당신이야말로 진짜 마왕이라고 주장하는 것처럼."

"……."

"당신의 행동은 확실히 잔혹해. 하지만 덕분에 구원받은 인간도 많아. 저기, 세리카…… 난 종종 이런 생각을 하곤 해. 당신은 아무 말도 하지 않고 처참한 살육을 반복하고 있지만……."

"흐응? 아까부터 뭘 시끄럽게 조잘대는 거야? 결국 무슨 말이 하고 싶은 건데?"

세리카는 소녀의 말에 코웃음을 쳤다.

"일단 말해두겠는데 널 살려둔 건 이용하기 위해서야. 용의 힘은 전력이 되니까 말이지. 그래, 포엔하임의 얼간이들에게 부려 먹히는 건 아까울 정도로."

"……!"

"게다가…… 마왕을 쳐죽인 후에는 《예지의 문》을 닫아야 하잖아? 널 살린 게 혹시 정 때문이라고 생각했어? 넌 뒷정리를 위한 열쇠에 불과해."

세리카는 손안에서 「하얀 열쇠」를 굴리며 말했다.

"이 열쇠를 너한테 꽂으면 《예지의 문》이 다시 봉인되는 거잖아? 미리 말해두는데 도망쳐봤자 소용없다? 너한테는 이미 【예속각인】을 새겼으니까. 그러니 뭐, 그 목숨이 다할 때까지 주인님인 날 열심히 잘 섬겨보라고, 하인. 하하하하하……!"

"말은 그렇게 해도…… 당신은 【예속각인】으로 나한테 뭘 강요하거나 명령한 적은 한 번도 없잖아. 오히려 이 각인은 마왕의 간섭에서 날 지키려고……."

"……."

"저기, 세리카…… 내 생각에 당신은 사실 무척……."

"시끄러워."

"이기든 지든 당신의 긴 여행은 이제 곧 끝나. 그리고 흔해빠진 말이지만, 복수는 정말로 아무것도 낳지 않아. ……복수하지 말라는 건 아니야. 하지만 복수에만 너무 얽매이지는 마."

"……시끄럽다고."

"모든 게 끝나면 당신은 행복해져야 해. 그야…… 이 세상 누구보다 상냥한 당신은 그만큼 이 세상을 위해 헌신해왔는걸……."

"시끄럽다고 했지!"

세리카는 고개를 돌리고 소녀의 멱살을 움켜잡으며 외쳤다.

"내 알 바냐! 나한테는 그 빌어먹을 마왕을 쳐죽이는 것만이 전부야! 잡룡 주제에 뭘 다 안다는 것처럼 지껄이지 마! 귀에 거슬려!"

"아니야, 세리카…… 난 그저…… 당신이……!"

"칫!"

세리카는 소녀를 밀치고 다시 걷기 시작했다.

"아~ 아~ 그래! 그러고 보니 마왕을 죽인 후의 일은 아무것도 생각한 게 없었군! 흥! 세간의 소문대로 제2의 마왕으로 군림해서 세상을 지배하는 것도 나쁘진 않을지도? 아하, 아하하하하하! 아~하하하하하하하하!"

"……세리카……."

소녀는 그 어떤 말도 닿지 않는 세리카를 그저 슬픈 눈으로 지켜볼 수밖에 없었다.

그리고 나도 그런 세리카를 조용히 지켜볼 수밖에 없었다.

왜냐하면 나에게는 그녀에게 뭔가 말할 자격이 눈곱만큼도 없었으므로…….

제 4 장 풍황취장

"……괜찮……으세요……?"

목소리가 들린다.

지옥의 도가니 같은 거대한 소음 속에서도 한층 더 선명히 들리는 목소리가.

"……괜찮으세요? 괜찮으신 거죠?!"

벌써 몇 번째인지 모를 자신을 부르는 목소리가 꿈속을 헤매던 글렌의 의식을 빠르게 현실로 되돌렸다.

"……그래, 괜찮아."

글렌은 머리를 휘휘 흔들며 그제야 상체를 일으켰다.

아무래도 고된 전투의 피로로 잠시 의식이 날아갔던 모양이다. 자신은 어느새 마도의 땅바닥에 대자로 누워 있었다.

눈을 뜨자 옆에서 붉은 머리 소녀가 걱정스런 표정으로 이쪽을 들여다보고 있었다.

조금 전에 글렌이 처형대에서 구출한 이 소녀는 역시 어딘지 모르게 낯이 익었다.

"……저기…… 상처는 마술로 어느 정도 치료했는데요. 그래도 완벽하지는……"

"아니, 충분해. 고맙다."

글렌은 몸 상태를 확인하며 일어섰다.

솔직히 여기저기가 쑤시고 아팠지만, 전투에 문제가 될 정도는 아니었다.

그리고 다시 한번 주위의 상황을 살폈다.

"……지금 상황은 어떻지?"

본 그대로를 짧고 솔직하게 평한다면, 바로 전시상태이리라.

마도 전체가 들썩이고 있었다.

백성들이 함성을 지르며 《비탄의 탑》을 향하고 있다.

시내 여기저기서 끊임없이 뭔가가 터지는 소리와 고함이 울려 퍼졌다.

도시 전체가 마치 열병 같은 혼란에 휩싸여 있었다.

조금 전까지만 해도 시체처럼 죽어 있었던 도시에서 뭔가 거대한 변혁이 일어나려고 하는 것이다.

"……모두가 들고 일어났어요."

글렌의 질문에 붉은 머리 소녀가 대답했다.

"세리카 님의 제자인 당신을 보고 다들 용기를 얻었는지 이대로는 안 된다면서 다들 뜻을 모아서 들고 일어난 거예요."

"……"

"그리고 어쩌면 저희가 지금까지 세리카 님에 대해 뭔가 오해하고 있었던 게 아니냐는 말도……."

글렌은 작게 주문을 외워 원견 마술을 발동했다.

그 말대로 마도 이곳저곳에서 민중과 지배 계층인 마술사들이 전투를 벌이고 있었다.

전황은 틀림없이 이쪽이 압도적으로 우세했다.

마술사들은 그들의 자랑인 에인션트로 분전하고 있었지만, 곧 마력이 떨어졌는지 비명을 지르며 도주하고 있었다.

하긴 당연하다면 당연했다.

이곳은 고작 한 줌의 선택받은 마술사들이 그 외의 모든 인간을 지배하던 세계.

애당초 민중과 마술사들은 머릿수부터 압도적으로 차이가 나고 있었다.

아무리 가진 무기에 성능 차가 있다지만, 전쟁이라는 건 결국 머릿수가 절대적인 힘이 되기 마련이다.

거기에 오랫동안 쌓이고 쌓인 분노까지 더해진 이 흐름과 기세는 이제 아무도 멈출 수가 없으리라.

"거 참…… 진짜 동화대로 됐네."

글렌은 뭐라 형용할 수 없는 복잡한 기분으로 한숨을 내쉬었다.

그렇다. 어디선가 갑자기 툭 튀어나온 「정의의 마법사의 제자」가 영문을 알 수 없는 수단으로 아세로 이엘로를 쓰러트리는 것을 목격한 민중이 일제히 봉기하는 이 상황이야말로 바로 그 동화이자 역사서인 《멜갈리우스의 마법사》에 적힌 전개였던 것이다.

당시에도 참 황당무계한 전개라고 생각했었는데, 정말 신기한 인연이었다.

"예? 동화요?"

"아니, 아무것도 아냐. 잊어버려."

그렇게 말한 글렌이 《비탄의 탑》을 향해 달리려 하자, 붉은 머리 소녀가 갑자기 소매를 잡아당겼다.

"자, 잠깐만요!"

"……뭔데?"

상황이 상황인 만큼 글렌은 약간 짜증 섞인 눈으로 소녀를 돌아보았다.

"가, 감사합니다! 절 구해줘서 정말 고마워요. 세리카 님의 제자님!"

하지만 곧 소녀의 순수한 감사와 존경 어린 눈을 보고 독기가 빠져버렸다.

"으, 응……."

"전 감동했어요! 누군가를 위해 싸운다는 게…… 누군가를 지키기 위해 싸운다는 게 이토록 가슴이 뜨거워지는 일이었다니……."

"……하하, 그렇게 거창한 건 아닌데 말이지."

"저도…… 언젠가 제자님 같은 어른이 되고 싶어요! 누군가를 지키고…… 누군가의 희망의 등불이 될 수 있는 사람이요!"

글렌은 쑥스러운 듯 쓴웃음을 흘렸다.

"……미안. 난 아직 할 일이 좀 있어. 스승님과 같이 나~ 쁜 마왕을 해치워야 하거든. 그러니 그만 갈게."

"앗! 아, 예……! 죄송해요!"

"뭐, 적당히 할 수 있는 만큼만 해봐. ……잘 지내고."

"예! 무운을 빌게요!"

그리고 글렌이 다시 달리기 시작한 순간, 뒤에 남겨진 소녀가 이렇게 외쳤다.

"전 이바예요! 이바 **이그나이트**요!"

"……?!"

글렌은 **이그나이트**라는 소녀의 성을 듣고 깜짝 놀랐다.

"언젠가…… 언젠가 또 만날 수 있을까요?!"

글렌은 돌아보지도, 멈춰 서지도 않고 그대로 달려갔다.

"……**물론이지.**"

하지만 그의 입가에는 작은 미소가 떠올라 있었다.

―――.

글렌은 《비탄의 탑》을 향해 달리고 또 달렸다.

현재 완전한 혼란 상태에 빠진 마도에서는 일제히 봉기한 민중들이 지배 계층인 마술사들과 격돌하고 있었다.

화염구로 응수하고 벼락을 주고받으며.

확실히 위력은 마술사들의 마술 쪽이 훨씬 더 강했다.

하지만 이미 거대한 해일이 된 민중들의 기세 앞에서는 속수무책으로 삼켜질 수밖에 없었다.

그야말로 중과부적이라는 말이 딱 맞아떨어지는 상황이었다.

하지만 전쟁은 비정한 법.

아무리 머릿수로 압도해도 싸우는 이상 희생자는 나올 수밖에 없었다.

이 혁명이 끝났을 때는 대체 얼마나 많은 희생이 이 땅 위에 쌓였을 것이고, 불씨가 된 자신은 그때 과연 무슨 생각을 하고 있을까.

"……그런 건 고민해봤자 소용없어."

어느새 정신을 차리고 보니 남루스가 옆에서 나란히 달리고 있었다.

"나, 남루스?! 너……."

자세히 보니 그녀의 몸은 이미 절반 이상 사라져 있었다.

하지만 남루스는 자신의 사정 따윈 전혀 개의치 않고 말했다.

"어차피 이대로 내일 동이 트면 모두 다 죽을 테고, 미래에서 온 당신이 한 일이라면 그건 당신의 미래로 이어지는 역사의 필연일 테니까."

"……!"

"뭔가 쓸데없는 일로 고민하는 것 같은 얼굴이길래 조언해

본 건데…… 어때? 도움 좀 됐어?"

"어, 그래. ……지금은 쓸데없는 일로 고민하고 있을 때가 아니겠지."

글렌은 마음을 다잡고 힘차게 땅을 박찼다.

"……하얀 고양이는?"

"그건…… 미, 미안해. 소란스러운 와중에 놓쳐버렸어."

"그러냐. 이거 참 난감하네. 통신 마도기도 처음부터 망가진 상태였고……."

"……화 안 내? 걱정되지 않아? 안 찾을 거야?"

"그 녀석이라면 괜찮아."

태연하게 대답하는 글렌의 눈에는 무한한 신뢰가 담겨 있었다.

"거기다…… 그 녀석은 날 위해서 각오하고 따라온 거야. 그런데 여기서 내가 해야 할 일도 하지 않고 자길 찾아다닌 걸 안다면 오히려 화를 낼걸?"

"……."

"그보다 세리카는 지금 어디쯤 있을 것 같아?"

"아마 이 혼란스러운 틈을 타서 《비탄의 탑》으로 돌입했을 거야."

"하긴 그렇겠지. 가자."

고개를 끄덕인 글렌은 해가 저물어서 붉게 타오르는 시내를 남루스와 함께 달렸다.

—————.

《비탄의 탑》50~89층《문지기의 초소》.

지배 계층인 마술사들 중에서도 상위의 인간이 거주하는 86층에 존재하는 대집회실은 현재 큰 혼란에 빠져 있었다.

마술사들의 고함이 끊임없이 오가고 있었다.

"미, 민중이…… 그 가축 놈들이 일제히 봉기했다고?!"

"대체 뭘 하고 있었던 거냐! 외부의 병사들은 대체 뭘 하고 있었던 거냐고!"

"어서! 어서 빨리 제압해! 지금 당장!"

"제압이 완료되면 본보기로 천 마리쯤 처형대에 매달아버려!"

"수가 너무 많습니다! 이 탑 주위를 지키는 병사들도 현재 계속 밀려서 패퇴하고 있는 상황입니다!"

"이렇게 꼴사나울 수가! 마술사란 것들이 고작 어리석은 자의 송곳니 따위에 패배하다니……!"

"어, 어쩌지?! 이대로면 곧 그 우민들이 탑 안으로 쏟아져 들어 올 거야!"

"사흘 전의 침공 때문에 10층에서 49층인《어리석은 자에 대한 시련》은 이미 기능을 상실했다고! 우리의 수도 격감했고!"

"지금 놈들이 진입하면 단숨에 여기까지 쳐들어올 거라고!"

"그, 그렇게 되면 우린 끝장이야……! 전부 살해당해……!"

"아아…… 앞으로 조금, 조금만 있으면 티투스 님의 비원이 달성될 텐데…… 그것으로 우리의 부와 영예는 미래영겁 보장됐을 텐데……!"

"제길! 모든 지혜와 부의 정점에 서야 하는 우리가 대체 왜 이런 꼴을……!"

누구나가 갑작스럽게 찾아온 자신들의 시대의 종말에 한탄하고 있을 뿐.

"……다시 말해, 이것이 시대의 답. 결국 우리가 벌을 받을 때가 온 겁니다."

하지만 한 여성의 발언에 모두가 퍼뜩 놀란 얼굴로 그쪽을 주목했다.

실 비사였다.

"티투스 님의 비원 달성이 이 세계에 진정한 안녕과 평화를 가져오리라 믿은 전 죄를 짓는 것을 감수하고 조력해왔습니다만…… 역시 틀린 선택이었나 보네요. 누구도 그런 건 바라지 않았어요. 이게 바로…… 백성들의 대답인 겁니다."

"그건 놈들이 도리를 모르는 우민들이기 때문이오!"

실 비사의 말을 들은 그 자리의 모두가 거품을 물고 히스테릭하게 반박했다.

"옳소! 놈들은 우리의 숭고한 이념은 아무것도 이해하지 못해! 그러니 이처럼 우리에게 칼을 들이미는 어리석기 짝이 없는 짓을 아무렇지 않게 저지르는 게야!"

"그래! 우리에게 복종하면 언젠가 비할 데 없는 행복을 누릴 수 있게 되건만!"

"그걸 위해서라면 우리를 위해 그 목숨과 영혼을 바치는 게 당연하잖아! 그런데 우민 놈들은 대체 왜 기어오르는 거냐고! 이게 다 누굴 위해선데!"

"동감이오! 현명한 우리가 얼마나……!"

"은혜도 모르고 수치도 모를뿐더러 눈앞의 일밖에 못 보는 어리석고 저열한 백성 주제에……"

집회실은 삽시간에 분노에 휩싸였다.

"헛소리 좀 그만하세요!"

하지만 실 비사는 그 이상으로 분노하며 일갈했다.

"저희는 너무나도 많은 죄를 지어왔어요! 그러니 이제 그 죗값을 치를 때가 온 것뿐입니다! 저희에게 이제 남겨진 건 멸망하는 길뿐! 민중의 분노를 받아들일 수밖에 없는 겁니다! 마침내 우리의 오만과 교만이 쌓아올린 탑…… 이 암흑 시대의 종말이 찾아온 거라구요! 지금까지 우리가 그들에게 했던 것처럼 이번에는 우리가 똑같이 처형대에 매달리고 새로운 시대의 초석이 될 때가 온 것이죠! 이 상황은 전부 우리 마술사들의 책임이잖아요? 이제 슬슬 각오를 다지도록 하세요!"

그런 그녀의 질책을 들은 순간.

"시, 싫어! 그런 비참한 최후는 싫다고!"

"주, 죽고 싶지 않아! 죽고 싶지 않아!

"어, 어째서 우리가! 왜! 대체 왜!"

"아아아아아아아! 그런 각오 따윈 하기 싫다고오오오!"

그 잘난 마술사들이 보인 꼴사나움과 추악함은 거의 목불인견의 참상이나 다름없었다.

"뭐…… 이미 각오를 다질 시간도 없겠지만요."

실 비사가 마치 쓰레기를 보는 듯한 눈으로 중얼거린 순간, 탑이 어마어마한 소리를 내며 뒤흔들렸다.

"뭐, 뭐야! 방금 그 충격은!"

"버, 벌써 우민들이 쳐들어온 건가?!"

모두가 동요하는 가운데 전령이 달려왔다.

"크, 큰일입니다!"

"뭐, 뭐냐! 대체 무슨 일이지?!"

"세, 세리카가!"

그 이름을 들은 마술사들의 얼굴이 일제히 새파래졌다.

"외부 방어를 돌파한 세리카가 이 탑 안으로 다시 돌입을 감행했습니다!"

이번에야말로 대집회실의 혼란은 걷잡을 수 없는 지경까지 이르렀다.

"말도 안 돼! 세리카는 티투스 님의 손에 죽은 게 아니었어?!"

"으아아아아아아아아아아! 살해당할 거야! 우린 몰살당할 거라고! 저번 침공 때와 마찬가지로!"

"도망쳐! 다들 도망쳐!"

"어디로?! 이 탑에 도망칠 곳이 대체 어디 있냐고!"

"아아아아, 안 돼! 난 죽고 싶지 않아! 죽고 싶지 않단 말이다!"

그런 마술사들의 반응을 지켜본 실 비사는.

"……추해."

진저리가 난다는 듯 그 한 마디만을 남기고 자리를 떠났다.

"……흉한 꼴을 보였네요."

실 비사는 대집회실 밖에서 기다리고 있던 소녀에게 말을 걸었다.

"……."

시스티나였다.

그녀는 경계심을 한껏 드러내며 실 비사를 쳐다보았다.

하지만 한편으로는 어떻게 반응해야 될지 몰라 곤혹스러워 하는 것처럼 보이기도 했다.

"미안해요, 시스티나. 갑자기 이런 장소로 초대해서."

"대체 무슨 속셈이시죠? 《풍황취장》 실 비사 씨."

시스티나는 조금 전에 글렌과 아세로 이엘로가 싸우는 도중 그녀가 자신을 마장성이라 밝히며 말을 걸어왔을 때의 기억을 떠올렸다.

'실 비사…… 분명 동화에서는 마도 멜갈리우스를 지키는 최후의 마장성 중 하나였던…… 그 누구도 견줄 자가 없다는 바람과 폭풍의 지배자.'

이미 달인의 영역 근처까지 발을 내디딘 시스티나는 이 여자와 대치한 순간 즉시 깨달았다.

지금 자신의 실력으로는 이길 수 없다고.

그녀와 자신 사이에는 절대적인 실력 차가 존재한다고.

그리고 이 여자가 마장성이라면 자신은 적이다.

시스티나가 죽음을 각오하고 그 자리를 벗어나기 위해 필사적으로 머리를 굴린 순간, 마침 들려온 건 정말 뜻밖의 제안이었다.

"……《비탄의 탑》을 구경하러 오시지 않겠어요?"

"……왜 저 같은 걸 여기로 데려오신 거죠?"

시스티나는 그녀의 의도를 도저히 이해할 수 없었다.

"당신 정도의 마술사라면 이미 알고 계시겠지만, 전……."

"지금 항간을 떠들썩하게 한 세리카의 제자의 동료……. 물론 알다마다요. 저도 바깥 상황을 살피고 있었는걸요."

실 비사는 방긋 웃었다. 적의가 전혀 없었다. 왠지 먼 친척이나 친한 친구를 대하는 듯한 태도였다.

그렇다면 어째서……?

그런 시스티나의 생각을 꿰뚫어본 듯 실 비사는 온화한 목소리로 말했다.

"글쎄, 어째설까요? 당신을 처음 본 순간…… 꼭 한 번 이렇게 이야기를 나눠보고 싶었어요."

"……저랑요?"

"참 신기해요. 이런 비합리적인 행동을 한 건 저도 처음이랍니다."

시스티나와 같은 은발의 여성은 그렇게 말하며 쿡쿡 웃었다.

평소의 시스티나였다면 기분 나쁘게 받아들였겠지만, 이상하게도 불쾌하진 않았다.

왜냐하면…….

'나도 이 사람이랑 똑같아. ……왠지 모르겠지만, 이 사람을 보고 있으면 왠지 그리운 기분이 들어. 왠지 이야기를 좀 나눠보고 싶다는 기분이 들어.'

어느새 둘은 외주부의 테라스로 나와 있었다.

무한히 펼쳐진 밤하늘에 거대한 달이 그들을 맞이했다.

아무래도 여긴 바깥과 시간의 흐름이 다른 모양이었다.

'……아. 여긴 본 적 있는데…….'

문득 생각났다.

여긴 전에 실종된 세리카의 행방을 찾아서 타움의 천문신전에서 《별의 회랑》을 통해 《비탄의 탑》 내부로 침입했을 때 본 풍경과 완전히 동일했다.

'그게 이렇게 이어지는 거구나……'

시스티나는 뭐라 형용할 수 없는 신기한 기분이 들었다.

"이건…… 상황만 보고 추측한 겁니다만."

그러자 옆에 선 실 비사가 조용히 말을 걸었다.

"차원에서 추방당한 세리카가 제자와 당신을 데리고 왔다는 건 즉, 시스티나. ……혹시 당신은 미래에서 온 게 아닌가요?"

"……?!"

너무나도 날카로운 질문에 시스티나는 놀랄 수밖에 없었다.

미래에 관한 건 가급적 밝혀선 안 된다는 글렌의 경고가 떠올랐지만, 그녀 정도 수준의 마술사가 「그럴 마음」만 먹는다면 숨기는 건 불가능에 가깝다.

마음과 기억을 직접 읽힐 바에야 차라리…….

"예. 저희는 미래에서 왔어요."

시스티나는 얼버무리지 않고 의연하게 대답했다.

"후훗, 역시 그렇군요."

그러자 실 비사는 싱글벙글 웃었다.

"미래라…… 왠지 참 신기한 기분이네요."

"……"

그건 시스티나도 마찬가지였다.

왠지 그녀와 대화를 나누고 있으면 기분이 몽글몽글했다.

어딘지 모르게 그립고 간지러운 듯한 이 감각은 대체 무엇일까?

왠지 어릴 때 할아버지와 대화를 나눌 때와 비슷한 분위기였다.

"미래는 어떤 세상인가요? 혹시 알려주시면 안 될까요?"

"그건……."

역시 이상했다.

사실 말해선 안 되는데 왠지 이 사람에게라면 전부 밝히고 싶어졌다. 사고를 유도하거나 강제하는 마술에 걸린 것도 아닌데 말이다.

"……예. 그럼 뭐부터 말씀드릴까요?"

시스티나도 살포시 웃음을 터트리며 설명을 시작했다.

자신이 아는 앞으로 있을 대략적인 시대의 흐름을.

그리고 자신이 사는 시대와, 자신을 둘러싼 환경과, 자신의 일상을.

알자노 제국 마술학원에서 학우들과 지내는 즐거운 매일.

어떤 은사에게 휘둘리는 소란스러운 나날.

그것은 틀림없이 「행복」하다고 부를 수 있는 나날이리라.

하지만 결코 즐겁고 행복한 일들만 있었던 것은 아니었다.

때로는 슬픈 일도, 괴로운 일도 있었다.

무엇보다 세상은 아직도 모순투성이라 슬픔과 고통을 안고서 남몰래 눈물 흘리는 사람들도 있었다.

그리고 그런 미래가 고대에서 부활한 마왕의 존재에 의해 미증유의 위기를 맞이한 것 또한.

하지만 그런 것들까지 전부 포함해도 시스티나는 자신 있게 말할 수 있었다.

"그래도…… 전 제가 태어난 시대를 좋아해요. 우리가 웃고 울면서 열심히 살아갈 수 있는 그 세상이 무엇보다도요."

"……그런가요."

가만히 듣고만 있던 실 비사는 온화하게 미소 지었다.

"예. 그러니 저희는 원래 시대로 돌아가야만 해요. 마왕의 쓰러트리고, 인과를 이어서…… 우리의 시대를 지키기 위해 싸워야만 한다구요!"

시스티나는 망설임 없이 말했다.

"그런 절 어쩌실 거죠? 실 비사 씨."

그리고 실 비사의 옆얼굴을 똑바로 쳐다보았다.

"방금 말씀드린 대로…… 전 마왕의 적. 마장성인 당신의 완전한 적이에요."

"……."

"그런 절 용서할 수 없다면…… 전력으로 상대해드리죠. 지금 당장이라도. 이길 수 없어도 가만히 당하고만 있을 생각은 없으니까요."

시스티나가 조용히 전투태세를 취했지만, 사실 실 비사가 어떤 반응을 보일지는 짐작이 갔다.

"……딱히, 아무 짓도 할 생각 없답니다."

그녀는 한없이 온화하고 투명한 미소를 보였다.

"그렇군요. 티투스 님이 쓰러진 후…… 미래를 그렇게 흘러간 거군요. 그럼…… 역시 제가 해온 일은 잘못된 일이었던 거군요."

"실 비사 씨……."

"티투스 님의 이념에 찬동한 저는 말리는 일족들을 뿌리치고 이타콰의 신관으로서 티투스 님을 섬겼어요. 하지만 사실 줄곧 고민하고 있었답니다. 과연 인간이 저희가 일방적으로 관리해야만 할 정도로 정말 약한 존재일지. 저희가 하려고 한 일은 그저 위선과 오만에 불과했던 게 아닐까 하는 고민을요."

"관리……?"

"하지만 답이 나왔네요. 이제 더는 고민하지 않겠어요. 고마워요, 시스티나 양. 전 덕분에 결심했답니다."

실 비사는 시스티나를 똑바로 바라보았다.

"결심……이요?"

"예."

고개를 한 차례 끄덕인 실 비사는 손을 들어 보였다.

"제 손은 이미 너무 많은 피로 더럽혀졌어요. 살아서 속죄하는 걸로는 도저히 갚을 수 없을 정도로요. 이 죄는…… 제 죽음으로 갚을 수밖에요."

"그, 그럴 수가……!"

"그래도 전 제가 저지른 일에 책임을 져야만 해요."

말문이 막힌 시스티나를 향해 실 비사는 의연한 태도로 뒷말을 이었다.

"갚을 수 없다면 하다못해…… 당신들이 잇는 과거와 미래의 인과 너머. 그 너머를 지키는 일을 조금이나마 거드는 것이…… 제가 할 수 있는 유일한 속죄겠지요."

그렇게 말한 실 비사는 작게 주문을 영창했다.

"어? ……이게 뭐죠?"

그러자 실 비사가 걸친 하얀 망토가 빛나는 깃털들로 분해되더니 시스티나의 주위를 회전했고, 어느새 그녀는 실 비사의 망토를 몸에 두르고 있었다.

"……소유권을 저에게서 당신으로 이양했습니다."

"소, 소유권……?"

"그 망토는 우리 가문의 비보. 그러니 재계약에는 훨씬 더 고전할 줄 알았는데…… 이렇게 간단히 계약 갱신이 완료된 걸로 봐선 어쩌면 당신은……."

"……?"

"그야말로 「일방적인」 호의일지도 모르지만…… 그건 분명 지금의 당신에게 필요할 거예요. 당신의 시대의…… 당신 본인의 미래의…… 그 너머를 지키고 연결하기 위해서."

실 비사는 미소 지으며 또 주문을 영창했다.

이번에는 시스티나를 중심으로 찬란하게 빛나는 바람이

소용돌이치기 시작했다.

그러자 곧 시스티나의 시야가 일그러지기 시작했다.

"어……! 앗?! 이, 이 바람은?!"

"괜찮아요. 그 바람은 당신이 있어야 할 장소로 보내주는 바람. 제 바람은 자유 그 자체…… 이 폐쇄된 탑 안이라면 어디든지 닿을 거랍니다."

"실 비사 씨?!"

시스티나는 고개를 들어 실 비사를 바라보았다.

"작별이에요. 시스티나 양"

그녀는 온화하게 웃으며 시스티나를 배웅했다.

"다음에 만났을 때 저는 당신과 싸워야만 하겠죠. 극악무도한 마장성《풍황취장》실 비사로서."

그 미소는 마치 앞으로 기다릴 수난을 전부 받아들일 각오를 한 성자와 같았다.

"전 이 세상을 지키려 했지만…… 결국 아무것도 할 수 없었습니다. 그저 쓸데없는 고통과 비탄을 이 세상에 새겼을 뿐. 죄를 지을 뿐인 인생이었지만…… 그래도 마지막에 당신을 만난 덕분에 제 피로 물든 인생도 조금이나마 의미가 있었던 걸지도 모르겠네요. 이 기적에, 이 운명적인 만남에 무한한 감사를. 당신과 만나서 정말 다행이었어요."

"잠깐만요! 실 비사 씨!"

바람이 계속 강해지는 가운데, 시스티나는 필사적으로 손을 뻗었다.

점점 일그러지고 멀어지는 풍경 속에서 필사적으로 실 비사에게 말을 던졌다.

"엉뚱한 소리처럼 들리실지도 모르겠지만!"

시스티나는 다시 한번 그녀의 모습을 바라보았다.

저 은발. 약간 날카로운 눈매의 비취색 눈동자.

그리고 무엇보다 하얀 망토의 후드가 사라진 덕분에 확연히 드러난 저 얼굴.

닮았다.

누군가를 너무나도 닮아 있었던 것이다.

"혹시! 당신은 제……!"

하지만 실 비사는 시스티나의 질문에 대답하지 않고 방긋 웃을 뿐.

휘오오오오오오오오!

그리고 한층 더 강해진 한 줄기 바람이 전신을 관통한 순간, 시야가 암전되고 마치 무중력 상태가 된 것처럼 몸이 가벼워졌다.

—————.

글렌은 달리고 또 달렸다.

지금 그는 사각추 형태의 건조물인 《비탄의 탑》 꼭대기를 향해 가기 위해 옆면에 깔린 길고 긴 계단을 오르고 있었다.

《비탄의 탑》 내부로 침입할 수 있는 입구가 바로 거기에 있기 때문이다.

하지만 이미 주위에 병사들의 모습은 없었다.

글렌이 계단을 오를수록 시선이 높아지고 하늘과 가까워졌다.

고개를 들자 이미 거의 저문 해가 마도를 한층 더 파멸적인 붉은색으로 물들이고 있었다.

밑에서는 아직도 싸우는 소리가 들렸다. 자유를 추구하며 싸우는 민중의 포효가 울려 퍼졌다.

글렌은 그 모든 것을 뒤로 한 채 계단을 오르는 것에만 집중했다.

"……참 신기한 거 있지."

그런 그의 뒤를 따르던 남루스가 갑자기 그런 말을 꺼냈다.

"난 인간 따윈 약하고, 덧없고, 제멋대로에, 어리석고, 아무것도 할 수 없는 꼴사나운 생물이라고 생각했었어."

"……남루스."

"실제로도 난 지금까지 인간의 어리석은 면과 약한 모습만 지켜봐왔어. 그래서…… 이 세계에서 뭔가를 이룰 수 있는 건 고작 한 줌밖에 안 되는 우수한 인간뿐일 거라고 생각했어. 아니, 그 한 줌밖에 안 되는 우수한 인간조차…… 난 마음속 어딘가에선 무시하고 있었던 걸지도 몰라……."

남루스는 밑에서 싸우는 이들을 슬쩍 내려다보았다.

"……하지만 실제로는 어때? 아주 사소한 계기로 정말 모두가 이렇게 들고 일어났잖아? ……진짜 인간이란 생물은 대체 뭐야? 정말 도무지 이해할 수가 없다니까."

"인간도 생각보단 괜찮지?"

글렌은 뒤에 있는 남루스를 돌아보지 않고 말했다.

"강함도 약함도, 현명함도 어리석음도, 상냥함도 잔혹함도…… 마치 만화경처럼 다양한 일면을 보이는 게 바로 인간인걸."

"……."

"뭐, 너희들 같은 인외의 존재나 잘나신 마술사 놈들이 하는 말도 전부 틀린 건 아냐. 인간은 약해. 때로는 믿을 수 없을 만큼 잔혹해지거나 멍청한 짓도 수없이 저질러. 그래서 어떤 절대적인 존재가 위에서 전부 관리해주는 편이 낫지 않을까 생각해본 적도 있었어. 그래도 난…… 그 어떤 우여곡절이 있어도, 몇 번을 실패해도 결과적으로 인간은 마지막에 올바른 길을 선택하고 걸을 수 있는…… 그런 생물이라고 생각해. 그러다 어떤 사소한 계기로 모두가 다 함께 믿을 수 없는 기적을 이뤄내는 모습은…… 마치 마법 같지 않아?"

"……."

"하핫, 그래. ……요컨대, 그거야."

글렌은 장난스럽게 웃으며 말했다.

"다시 말해, 누구나가 「정의의 마법사가 될 수 있는」 걸지도."

그렇게 말한 순간.

"……어?"

가슴을 뒤흔드는 동요에 글렌은 무심코 걸음을 멈추고 말했다.

"왜 그래? 글렌."

"아, 아니……."

이런 절박한 상황임에도 글렌은 입가를 가리고 생각에 빠졌다.

"방금…… 내가 뭔가 중요한 말을 한 것 같은데……."

무의식에 잠들어 있던, 정체를 알 수 없는 막연한 의문.

그것의 정체와 답의 힌트가 방금 보였던 것 같은 기분이 들었다.

—정의의 마법사가 되고 싶다.

그건 과거에 자신이 품었던 치기 어린 꿈.

하지만 잔혹한 현실 앞에서 좌절한 후 「정의의 마법사는 이 세상에 존재하지 않는다」고 철석같이 믿고, 믿으려 했던 그 꿈은.

자신에게는 재능과 자격이 없다면서 이미 체념했으면서도 어딘지 모르게 미련이 남아있었던 그 꿈은.

정말 남김없이 사라졌던 것일까?

"……뭔가 망설임이나 갈등이 있나 본데."

그러자 남루스가 타이르듯 말했다.

"지금 고민하고 있을 여유는 없어."

"그래, 그랬었지……."

마음을 다잡은 글렌은 다시 다리에 힘을 넣고 계단을 오르기 시작했다.

《비탄의 탑》 정상은 이제 코앞이었다.

————.

무한한 것처럼 느껴졌던 계단이 끝나고 마침내 탑의 정상이 보이기 시작했다.

거기 있는 사각추 형태의 구조물 옆에는 탑 안으로 들어간 수 있는 문이 있었다.

기억에 있는 문이었다.

전에 교내의 지하에서 본 지하미궁의 입구 그 자체였으니까.

지하에 있을 터인 그것이 이토록 하늘과 가까운 장소에 있다는 것에 위화감을 느끼며 다가간 순간.

"……오?"

선객을 발견했다.

저 모습은, 시스티나다. 마치 자신들을 기다린 것처럼 문 앞에서 등을 돌린 채 조용히 서 있었다.

"여. 역시 무사했구만. 뭐, 지금의 너라면 전혀 걱정……."

글렌은 그 순간 뭔가를 눈치챘다.

"……응? 뭐야, 너. 그 망토는……."

시스티나가 처음 보는 망토를 걸치고 있었던 것이다.

하늘 위로 치솟는 바람에 펄럭이는 하얀색 베이스의 그 망토는 장식이나 자수의 고풍스러운 조형을 봐선 아마 이 시대의 물건이 아닐까 하는 생각이 들었다.

그리고 언뜻 봐도 강대한 마력과 마술이 깃들어 있음을 한 눈에 알 수 있었다.

"……마법유물인가? 그건 또 어디서 난 거냐?"

"그 망토…… 저기, 시스티나. 당신, 설마……."

글렌과 남루스가 의아해 했지만, 시스티나는 몸을 돌리며 의연하게 말했다.

"가죠, 선생님. 남루스 씨."

반론을 허락지 않는 확고한 의지가 깃든 목소리.

고작 두세 시간 못 본 사이에 그녀는 마치 다른 사람이 된 것처럼 큰 성장을 이룬 듯했다.

"……그래, 가자."

진지한 표정으로 고개를 끄덕인 글렌은 다시 시스티나와 남루스를 데리고 《비탄의 탑》 내부로 진입했다.

아마 조금 전에 세리카도 지나갔을 길을 셋이서 나아가기 시작한 것이다.

단장　멜갈리우스의 마법사 IV

꿈을— 꿨다.

이제는 아득히 멀고 먼 과거의 이야기.

어느 한 마법사의 이야기를.

————.

길고 길었던 싸움과 여정 끝에 마침내 세리카는 《비탄의 탑》에
도전했다.

몇 없는 친구, 동료, 협력자들을 모두 희생해가며 도전했다.

그런 그녀를 냉혹하다 하지 말지어다.

그 희생 없이는 길을 뚫을 수조차 없었기 때문이다.

《비탄의 탑》은 그만큼 난공불락의 요새였다.

그러하기에 붙은 이름이 민초의 희망을 송두리째 꺾는 「비탄」
일지니 더 설명할 필요도 없을 터.

세리카는 《별의 회랑》을 이용해가면서 1층부터 9층 《각성을 향
한 여정》을 답파하고 최대의 난관인 10층부터 49층까지의 《어리
석은 자에 대한 시련》을 무력화하는 것에 성공. 그리고 마침내

50층부터인 《문지기의 초소》를 침공했다.

그곳은 지배 계층인 마술사들이 사는 도시.

시기상으로는 조금만 지나면 마왕이 그 오랜 비원을 달성해서 세계가 영원히 마술사들의 것이 되기 직전.

그들 모두가 눈앞까지 다가온 영광과 자신들이 손에 넣을 지혜에 희망을 품고 있었던 바로 그 순간.

설마 불손하게도 이 《문지기의 초소》에 쳐들어오는 인간이 있을 줄 꿈에도 몰랐던 마술사들은 세리카의 침공에 속수무책으로 당할 수밖에 없었다.

그곳은 그야말로 아비규환의 지옥도처럼 변했다.

세리카는 지금까지 익힌 온갖 마술을 총동원해서 마술사들을 죽이고, 또 죽이고, 모조리 죽였다.

불로 태우고, 얼려버리고, 전격으로 감전시키고, 바람 칼날로 난도질하고, 중력으로 짓눌러 터트리고, 차원 끝으로 추방하고, 시간을 조작해서 썩혀버리고, 돌로 만들어서 부수고, 맹독으로 녹이고, 죽음의 언령으로 저주하고, 끔찍한 악마를 소환해서 먹히게 하고, 극광의 분류로 근원소(根源素)까지 분해해서 죽이고, 또 죽이고, 모조리 죽였다.

무시무시한 형상으로 각 계층을 초토화시키며 나아가는 그녀를 막을 수 있는 자는 아무도 없었다.

그야말로 마왕의 행진.

그런 세리카를 향한, 죽어가는 마술사들의 원한과 매도로 점철된 저주는 그칠 새가 없었다.

　—같은 마술사면서 이 배신자……!
　—너와 우리가 뭐가 다르지?
　—너만 없었다면……!
　—아아, 밉다…… 미워……!
　—저주한다…… 저주해주마, 세리카아아아아아아아!

　하지만 세리카는 그런 저주를 뱉는 자들을 무자비하게 짓밟으며 계속해서 나아갔다.
　54층— 58층— 62층— 68층— 74층— 80층…….
　마술사들의 이상향을 위에서부터 하나도 빠짐없이 명부의 지옥으로 바꾸면서 나아갔다.
　마왕에게 도달하는 길인 89층 《예지의 문》을 목표로.
　"……그래. 뭘 망설일 필요가 있지?"
　세리카는 마술사들을 터트려 죽이며 흔들림 없이 말했다.
　"난 이걸 위해 싸워온 거였어! 그날, 하늘에 건 맹세를 이루기 위해…… 그것만을 위해 살아온 거였다고!"
　밉다. 미운 것이다.
　오만하기 짝이 없는 마술사들이 자신에게 날리는 원한이나 욕설 따윈 전혀 문제조차 되지 않을 정도로 세리카는 마왕과 그에게 붙은 모든 자들을 증오했다. 화가 났다.

그렇다. 그러니 그녀는 아무것도 망설일 필요 없었다.

그저 자신이 해야 할 일을 마지막까지 수행할 뿐.

————.

"나는…… 난!"

이건 아마 추측이지만, 그때 이미 세리카는 완전히 지쳐버렸던 걸지도 몰랐다.

난 이미 예전부터 그녀의 한계를 눈치채고 있었다.

이 싸움이 끝난 후에 그녀에게는 대체 뭐가 남을까?

긴 여행 중에 생긴 몇 없는 친구와 동료들은 모두 세상을 떠났다.

마왕에게 끌려간 동생을 구하겠다는 목적이 있었지만, 그것도 이제 와선 거의 백 년 이상 전의 일이다. 살아있을 리가 없었다.

그리고 민중은 세리카를 제2의 마왕, 마왕의 후계자라며 두려워하는 판국.

결국 세리카가 비원을 달성한다 해도 그것으로 끝이다.

인간으로서의 끝.

그녀의 인간성을 유지하는 마지막 보루가 바로 마왕에 대한 복수심이었으니까. 그 외에는 아무것도 남지 않았으니까.

아마 이기든 지든 그녀는 이 싸움이 끝나면 죽게 되리라.

아무것도 남기지 않고, 아무런 유언도 없이 그저 다 타버린 재처럼 사라져버리리라.

그녀는 필사적으로 극악무도한 악당을 연기하고 있지만, 그건 그렇게라도 하지 않으면 싸우는 자신을 유지할 수 없을 정도로 완전히 지쳐버렸기 때문이다.

결론부터 말하자면.

처음부터 이 이야기에는 구원이라는 것이 존재하지 않았다.

……난 대체 무슨 짓을 저지르고 만 것일까.

난 내 생각밖에 하지 않았다.

지극히 개인적인 목적을 위해 세리카를 이용한 나는.

그녀를 이 지옥에 떨어트려버린 죄인이었다.

분명 다른 방법이 있었을 터. 조금이라도 더 나은 방법이 있었을 터.

대체 왜 이토록 열심히 노력한 세리카가 행복해질 수 없는 거지? 보상받지 못하는 거지?

이런 결말은…… 정말 해도 해도 너무하잖아.

그렇다고 처음부터 목적을 위해 이용한 도구에 불과했다고 자기 합리화하기에는 나와 그녀가 함께한 시간이 너무 길었다. 너무 많은 정이 들고 말았다.

"이봐, 라 틸리카. 뭘 멍하니 있는 거야? ……가자."

"……으, 응."

이 중요한 순간까지 와서도 난 아무 말도 하지 못했다.

마지막 싸움이 눈앞에 다가온 지금 이런 말을 해봤자 의미는 없겠지만.

……세리카.

당신은 이걸로 된 거야? 정말로 괜찮은 거야?

이제 와서 나에게 이런 소원을 빌 자격은 없겠지만.

난 그저 이 수없이 많은 고통과 비탄 끝에 열릴 미래에서.

당신도 웃을 수 있었으면 해…….

제 5 장 세리카

"……"

꿈속을 헤매던 글렌의 의식이 어느덧 다시 현실로 돌아왔다.

정신을 차리고 보니 자신은 뛰는 중이었다.

그리고 여긴 조금 전에 돌입한 《비탄의 탑》 내부.

이러고도 여태 용케도 넘어지지 않았다며 절로 감탄이 들 정도였다.

"선생님…… 괜찮으세요? 방금 어째 표정이 멍해 보이시던데……."

그러자 오른쪽에서 나란히 달리는 시스티나가 걱정스러운 눈빛으로 올려다보았다.

"정신 차려. 여긴 적진이야. 방심은 금물이라구."

왼쪽에서 달리는 남루스는 어이없다는 듯 투덜댔다.

그렇게 한동안 방금 꾼 꿈의 내용을 반추하던 글렌은 굳게 다문 입을 열었다.

"왠지 모르겠지만…… 내가 가끔 꾸는 이 꿈의 정체가 뭔지 알 것 같아."

그리고 남루스를 힐끗 쳐다보았다.

"……뭐? 그게 무슨 소리야?"

"아무것도 아냐. 서두르자."

글렌은 다시 뛰는 속도를 올렸다.

갖은 고생 끝에 일행은 마침내 《비탄의 탑》 내부로 침입했지만, 내려가는 건 허탈할 정도로 간단했다.

1층부터 9층 《각성을 향한 여정》.

10층부터 49층 《어리석은 자에 대한 시련》.

이 두 구역을 고작 몇 시간 만에 돌파하고 만 것이다.

원래 《어리석은 자에 대한 시련》은 정기적으로 자동 재생성되는 복잡하고 기괴한 미궁과, 무시무시한 함정과 수호자, 제로마나 지대가 침입자들을 비탄과 절망의 심연으로 떨어트리는 인외마경이었지만.

"……말했잖아? 저번에 돌입했을 때 세리카가 그 방어기구의 중추를 파괴했다고. 수백 년 단위의 시간이 경과하면 그것조차 자동으로 수복돼서 다시 침입자를 막아서겠지만…… 뭐, 지금은 프리패스지."

남루스가 사전에 설명하긴 했지만, 그럼에도 글렌은 경악할 수밖에 없었다.

50층부터인 《문지기의 초소》. 결국 여기까지 올 때까지 그 복잡했던 미궁의 구조가 거의 일직선 루트로 변해 있었던 것이다.

"그건 그렇고…… 여기가 《문지기의 초소》. 지배 계급인 마술사들이 사는 제2의 수도라……."

주위를 둘러본 글렌이 침음을 흘렸다.

"……처참하구만."

"그러게요……."

시스티나도 인상을 찌푸리며 동의했다.

50층부터는 탑 안인데도 외주부에 무한한 하늘이 펼쳐진 도시 같은 구역이었지만, 눈에 들어오는 거라곤 그저 시체, 시체, 시체, 시체, 시체…….

이미 숨이 끊어지고 원형을 유지하지 못한 마술사들의 시체가 어디에나 즐비하게 널려 있었다.

시체를 어느 정도 치우려 한 흔적이 보이긴 했지만, 언 발에 오줌 누기였는지 아직도 막대한 수의 시체가 방치되어 있었다.

심지어 운 좋게 얼굴이 형태를 유지한 시체들도 예외 없이 절망과 원한으로 점철된 표정이 새겨져 있었다.

"……세리카가 저번에 침공했을 때의 희생자들이네."

남루스가 아무런 감회도 없이 담담하게 말했다.

"……이놈이고 저놈이고 죽기 직전에 최상급의 저주를 퍼부었다나 봐. 멍청하긴. ……그들의 영혼은 이 장소에 속박되어 무의미하게 영원히 헤매게 될 거야. 마술사가 말의 무게를 자각하지 못하고 안이하게 언령을 내뱉으니까 이렇게

제5장 세리카　213

되는 거라구."

"서, 선생님…… 이건."

"……그래."

글렌은 새파랗게 질린 시스티나에게 고개를 끄덕였다.

여긴 본 적이 있는 장소였다.

차례차례 빈자리를 채워가는 퍼즐 조각. 전체적인 상을 드러내는 진실의 그림.

하지만 지금은 그걸 느긋하게 지켜볼 여유는 없었다.

쿠웅……!

그때 땅을 뒤흔드는 거대한 소리가 울려 퍼졌다.

발밑이 진동하고 먼지가 떨어지며 대기가 따갑게 흔들렸다.

아무래도 소리의 진원지는 아래층인 것 같았다.

"……바, 방금 그 소리는?"

"싸우고 있군. 그 녀석이."

시스티나의 중얼거림에 글렌이 고개를 끄덕였다.

"……어째서일까. 왠지 굉장히 그리운 기분이 들어. 여러 모로."

과거. 그리고 미래.

이 기묘한 결합과 기이한 운명의 해후에는 여러모로 생각되는 바가 많았지만, 이제 글렌에게 망설임은 없었다.

"……가자, 하얀 고양이."

"아, 예!"

진지하게 대답하는 시스티나와 함께 글렌은 탑의 안쪽, 아래층을 향해 길을 서둘렀다.

————.

탑 내부의 도시 구역을 가로지르고 외주부를 돌아서 계단을 계속 달려 내려갔다.

통로에 일행의 발소리가 단속적으로 울려 퍼진다.

전투의 소음, 마술의 작렬음이 점점 가까워지고 있었다.

"……가까운걸."

현재 일행은 전방을 향해 쭉 이어진 통로를 지나는 중이었다.

저 너머에 있는 아치형 출입구가 서서히 가까워졌다.

그리고 출입구를 통과한 글렌의 눈 밑에 펼쳐진 것은 마치 투기장처럼 거대한 광장이었다.

원형 공간 여기저기에서 세차게 불꽃이 타올랐다.

글렌 일행의 맞은편 아득히 저 너머에서는 어둠을 머금고 입을 벌린 거대한 **문**이 우뚝 솟아 있었다.

그렇다. 미래에서는 굳게 닫혀 있었던 그 문의 봉인이 풀린 것이다.

"흡!"

그리고 그 문 앞에서는 세리카가 수많은 마술사들을 상대로 싸우고 있었다.

아마 이 《비탄의 탑》의 생존자들일 저 마술사들은 이 장소를 자신들의 마지막 전장으로 삼은 것일 터.

그렇게 모인 다수의 마술사들이 세리카를 향해 필사적으로 마술을 날리고 있었다.

하지만 전황의 추세는 누가 봐도 명백했다.

"《《《꺼져》》》!"

고작 단 한 마디로 발동한 흑마 【플라스마 캐논】, 【인페르노 플레어】, 【프리징 헬】. 상위의 B급 군용 어설트 스펠.

굵은 집속 전격포가, 끓어오르는 작열의 해일이, 절대영도의 냉동 결계가 세리카와 대치한 마술사들을 파괴하고, 또 모조리 파괴했다.

"……잔챙이가."

기억을 되찾아 기량이 이미 신의 영역에 도달한 세리카가 쓰면 모던조차도 신의 징벌이나 다름없었다.

"하아아아아아아아아아아아아아아앗!"

세리카가 던진 파괴의 빈틈을 메우듯 이번에는 용족 소녀가 오른손을 치켜들고 돌진했다.

마술사들 속으로 날아들어서 그 가냘픈 팔을 휘두르자, 그들의 육체가 산산이 찢겨서 산화했다.

"아아아아아아아아아아악! 커헉!"

"이, 이, 네 이놈……! 이 배신자가……!"

"싫어. 죽고 싶지 않아. 죽고 싶지……."

"《시끄럽고·죽어》."

비참하게 허우적대는 마술사들을 향해 세리카가 다시 한 번 파괴의 힘을 행사했다.

난무하는 천둥벼락에 비명과 함께 살이 타는 불쾌한 냄새가 났다.

모든 적을 파괴하고 모든 이를 굴복시키는 와중에 오로지 혼자 고고하게 서 있는 그 절대적인 모습은 그야말로 마왕이나 다름없었다.

그런 세리카의 모습은 진지한 눈으로 지켜보던 글렌은 천천히 계단을 내려갔다.

중앙의 원형 필드를 향해 내려가자 시스티나와 남루스도 서로 얼굴을 마주보더니 그의 뒤를 따랐다.

그리고 글렌이 도착했을 무렵에는 이미 싸움이 끝났다.

콰앙!

한층 더 높이 타오르는 극광과 고열의 불기둥과 함께 울면서 목숨을 구걸하는 마술사들이 재도 남기지 못한 채 소멸했다.

"……헉……헉! 하아…… 하아……!"

글렌은 필드 한가운데에서 어깨를 들썩이는 세리카의 곁

으로 다가갔다.

"서, 선생님……."

"세리카……."

"다, 당신들은……?!"

시스티나, 남루스, 용족 소녀는 가만히 멀리서 상황을 살폈다.

이윽고 글렌은 세리카의 뒤에 서서 천천히 말을 걸었다.

"……왠지 그립네."

쓴웃음이 나왔다.

"하아…… 그러고 보니 전에도 이런 일이 있었지."

안쪽에서 검게 빛나는 거대한 문을 올려다보며 말했다.

"……그러게."

그러자 당연히 글렌이 다가오는 걸 눈치챘던 세리카가 뒤를 돌아보지 않고 대답했다.

그리고 물었다.

"뭐 하러…… 온 거야?"

"몇 번을 말해도 알아들어 먹질 못하는 머리 나쁜 스승님을 데리러 왔지."

"왜…… 온 건데?"

"가족을 돕는데 이유가 필요해?"

"……."

세리카는 한동안 침묵을 관철한 후.

"······바보 자식. 얼른 돌아가."

거절하듯 차갑게 말을 내뱉었다.

"아, 젠장. 그렇군. ······이 시점에선 특이점의 인과가 확정되지 않았으니 아직 원래 시대로 돌아갈 수 없는 건가. ······그럼 지금부터 내가 확실히 결판을 내고 올 테니 타움의 천문신전에서 기다려. 난······."

그리고 글렌을 한 번도 돌아보지 않은 채 문을 향해 걸어가기 시작했다.

"······기다려. 멋대로 어딜 가려고."

글렌은 그런 그녀의 어깨를 뒤에서 붙잡았다.

"이거 놔."

세리카가 그 손을 뿌리치려 했지만, 글렌은 단단히 붙잡은 채 놓지 않았다.

"놔."

"싫어."

"놓으라고."

"싫다고."

"놓으라고 했지!"

"싫다고 했잖아!"

둘의 험악한 기세에 주위가 고요해졌다.

"······너 말이다. 이제 와서 생떼 부리는 애처럼 굴지 마."

세리카는 떨면서 작게 말했다.

"내 정체를…… 넌 이미 알았잖아?"

"……그래, 맞아."

글렌은 깊은 한숨을 내쉰 후 이미 자명해진 사실을 새삼스레 곱씹듯 말했다.

"세리카. ……네가 「정의의 마법사」였구나."

"……."

"……왠지 신기하네."

글렌은 감회 어린 표정으로 말했다.

"과거에 네 덕분에 살아났던 난…… 너 같은 굉장한 마술사가 되고 싶어서…… 그래서 동화에 나오는 「정의의 마법사」를 동경했어. 그런데 그 동화 속 「정의의 마법사」가 설마 너 본인이었을 줄은…… 참 신기한 인연이란 말이지."

"……난 그런 대단한 존재가 아니야."

세리카는 힘없이 읊조렸다.

"난…… 네가 동경하던 것 같은, 지팡이를 한 번 휘두르면 모두를 행복하게 웃게 할 수 있는 「정의의 마법사」 같은 게 아냐. ……그저 추하고 구제할 도리가 없는 악귀일 뿐. 누군가를 지키고 싶었던 게 아냐. 마왕에게 모든 걸 빼앗기고 살해당해서…… 도저히 가만히 죽어줄 수가 없어서…… 마왕을 이 손으로 쳐죽이지 않으면 직성이 풀리지 않을 뿐인…… 이미 먼 옛날에 끝장나버린 살아있는 시체라고."

"……."

"마왕 살해. ……오직 그 목적만을 위해 많은 이들을 희생하고 말았어. 이런 날 따르고 믿어줬던 이들도 있었는데…… 전부 희생하고 말았지. 내 손은 이미 다양한 사람들의 피로 더럽혀졌어. 그러니 네가 동경할 만한…… 그런 대단한 존재가 아니라고."

"……복수, 인가."

글렌은 작게 대답했다.

"그게…… 네가 잊고 있었던 사명이야?"

"그래."

"그래서…… 넌 이 시대로 귀환했다는 거야? 그 복수를 이루려고?"

"그……."

"그럴 리가 없잖아!"

긍정하려는 세리카의 말을 글렌의 고함이 가로막았다.

"지금의 네가 그런 시시한 이유로 우리를 버리고 이 시대로 어슬렁어슬렁 기어들어왔을 리 없잖아! 대체 몇 년을 같이 산 줄 알아? 난 안다고! 우리의 미래를 지키려고 이렇게 이 시대로 돌아온 거잖아?!"

"……?!"

그 말을 들은 순간, 남루스와 용족 소녀는 말문이 막혔다.

둘은 도저히 믿을 수 없는 광경을 본 듯한 눈으로 입을 다물고 세리카를 바라보았다.

"그래. 우리 시대에서 「마왕은 이미 타도된 존재」! 즉, 네가 돌아와서 마왕을 쓰러뜨리지 않으면 인과가 붕괴해! 네가 하지 않으면 우리 시대가 어떻게 될지 알 수 없어! 최악의 경우, 네가 「가지 않겠다」고 결의한 순간에 소멸할 가능성도 있지! 그래서……!"

"……그래. 응, 맞아."

세리카는 자조적인 눈빛으로 살짝 입가를 일그러뜨렸다.

"사실은 말이지…… 기억을 되찾고 예전의 마술 경지를 되찾은 나라면 「방치」하는 선택지도 있었어."

"……세리카?"

"한정적이지만 날 중심으로 한 작은 세계만을 차원수에서…… 인과율에서 잘라내서 미래가 존재하지 않는, 어디에도 가지 못하는 모형정원 같은 작은 세상을 만들어서…… 거기서 너희와 함께 영원히 행복한 꿈을 꾸는…… 일도 가능했을 거야."

미래로 향하지 못하는 닫혀버린 모형정원 같은 세계.

그 말을 듣고 글렌이 떠올린 것은 알자노 제국 대표 선수 선발회에서 영원히 반복되는 1주간, 르 킬 시계의 힘으로 미래가 닫혀버린 세계였다.

"하지만…… 그런 꼴사나운 짓을 어떻게 해. 그런 건…… 네가 동경했던 「정의의 마법사」가 할 짓이 아닌걸."

"……"

"난 너와 약속했는걸. 그 설산에서…… 난 네가 평생 걸려도 따라잡을 수 없을 정도로 멋진 「정의의 마법사」가 되겠다고…… 그렇게 약속했는걸."

"……"

"그러니 뒷일은 나한테 맡기고, 넌 돌아가."

세리카는 글렌에게 등을 돌린 채 밝은 목소리로 말했다.

"걱정하지 마. 넌 건방지게도 날 잘 알잖아? 난 될 대로 되라는 심정으로 이 시대에 온 게 아니야. 빌어먹을 마왕에 대한 복수심이 전혀 없는 건 아니지만…… 네 말대로 난 너희들의 미래를 지키려고 여기에 온 거야. 하하하, 어때? 나 좀 멋지지 않아?"

남루스와 용족 소녀는 이번에야말로 경악했다.

그 세리카의 입에서 이런 말을 들을 줄 상상도 못 했다는 듯한 얼굴로 쳐다보았지만, 세리카는 개의치 않고 차분하게 말했다.

"그러니…… 이다음은 나한테 맡겨. 넌 먼저 돌아가 있어. 걱정하지 마. ……마왕은 내가 반드시 쓰러트릴 테니까. 너희들의 미래를 지켜내고 말 테니까. 그러니……"

"……"

그렇게 타이르듯 말했지만, 글렌은 그녀의 어깨를 붙잡은 손을 놓지 않았다.

"……너란 녀석은 대체 왜 이렇게 말귀가 통하지 않는 걸까."

세리카가 쓴웃음을 흘렸지만, 글렌은 날카롭게 물었다.

"너…… 이제 돌아갈 생각이 없는 거지?"

그러자 가만히 지켜보고 있던 시스티나도 아연실색할 수밖에 없었다.

"……."

세리카는 침묵했다.

하지만 한없이 긍정에 가까운 침묵이었다.

"넌 우리 미래를 지키고 죽을 생각이야. ……내 말이 틀려?"

"……백 년."

글렌의 물음에 세리카는 힘없이 중얼거렸다.

"그날 라 틸리카와 계약한 나는 백 년이라는 세월에 걸쳐서 마술사로서의 경지를 끌어올렸어. 여러모로 시기상조이긴 했지만, 마왕에게 처음으로 도전했을 때 마술사로서의 내 힘은 틀림없이 인간이라는 종의 한계에 도달해 있었지. ……적어도 당시의 난 그 이상의 위계에 오를 수 없었어."

"……."

"그런데도…… 난 마왕에게 패배했어."

세리카의 어깨가 떨리기 시작했다.

"맞아. 난 백 년간 자나 깨나 마왕을 죽이는 생각만 하면서 필사적으로 노력해왔는데…… 결국 마왕에게는 닿지 못했지."

"……."

"그리고 이번이 두 번째야. 현재 내 힘은…… 과거의 나와 비교할 수조차 없을 정도로 약해졌어. ……무리야. ……이래선 이길 수 없어. 난…… 더는 질 수 없는데! 그런데도 난 분명 못 이길 거라고……!"

"……."

"그렇다면 이제 목숨을 걸 수밖에 없잖아?! 어떻게든 동귀어진을 노려보는 수밖에 없잖아?!"

그리고 결국.

"그래, 나도 싫어! 싫다고! 돌아가고 싶어! 너와 함께 살았던 그 시대로 돌아가고 싶어! 그 시대에서 너와 함께 살고 싶어! 이제야 겨우 안심하고 쉴 수 있는 장소를 찾았는데…… 왜 내가 이런 짓을 해야만 하는 거냐고! 하지만…… 내가 싸우지 않으면 너와 살았던 그 시대조차 없었던 일이 될 테니까…… 너와 함께 보낸 행복한 시간도 없었던 일이 될 테니까…… 그러니…… 그래서……!"

세리카의 눈에서 흘러넘친 눈물이 뺨을 타고 바닥을 두드렸다.

"……세리카!"

"시끄러워! 저리 가! 이 바보 제자!"

글렌이 이름을 불렀지만, 세리카는 어린애처럼 거절했다.

"내가 왜 널 두고 이런 쓰레기 같은 시대로 돌아온 건지 아직도 모르겠어?! 네 모습을 보면 틀림없이 결심이 무너질 게 뻔하잖아! 전부 포기하고 싶어질 게 뻔하잖아! 그런데 너란 녀석은 일부러 날 쫓아오다니…… 이 바보! 이 바보 자식!"

"……!"

"네 말마따나 참 오래도 같이 살았으니 너도 슬슬 눈치챘지? 난 강하지 않아! 약해! 뭐가 마왕이야! 뭐가 정의의 마법사냐고! 그딴 건 아무래도 상관없어! 누군가가 버팀목이 되어주지 않으면 제대로 걸을 수조차 없는 약해빠진 여자한테 그런 걸 떠넘기지 마! 장난해! 웃기지 말라고! 아아아아 아아아아! 으허어어어어어어어어어엉!"

지금까지 흉중에 품고 있었던 모든 것을 내뱉듯 울부짖은 세리카는 이윽고 눈가를 훔치더니 모기처럼 작은 목소리로 말했다.

"흑…… 그래도…… 훌쩍…… 이건 내가 쓰기 시작한 이야기니까."

"……."

"끝까지…… 끝까지 제대로 쓰지 않으면…… 독자^{세상}들을 볼 낯이 없잖아?"

그렇게 말한 후.

"그러니…… 글렌. 제발 날 보내줘."

어깨를 붙잡은 글렌의 손에 자신의 손을 살포시 올리고 떼어냈다.

"……그래, 착하지."

세리카는 가볍게 웃음을 터트렸다.

"걱정하지 마. 이 인과는 반드시 연결하겠어. 너희들의 미래를 지키겠어. 그러니⋯⋯."

결국 세리카가 한 번도 뒤를 돌아보지 않고 문을 향해 걸어가려 한 순간.

와락!

팔을 둘러서 그녀의 두 어깨를 감싸 안은 글렌이 억지로 고개를 돌리게 했다.

"⋯⋯아."

눈물로 엉망이 된 세리카의 붉은 눈동자에 그제야 비로소 글렌의 모습이 비춰졌다.

그러자 다시 눈물이 흘러나온 그녀는 힘없이 고개를 떨구었다.

"⋯⋯왜⋯⋯왜 이러는 거야. 글렌. 난⋯⋯ 이제⋯⋯."

글렌은 그런 세리카의 말을 가로막았다.

"그렇다면⋯⋯ 나도 네 이야기를 같이 쓰게 해줘."

"⋯⋯?!"

"뭐, 어때. 스승과 제자의 합작인 셈이지. 전개가 엉망이 되긴 하겠다만."

"바, 바보!"

세리카는 우는 얼굴로 글렌을 노려보았다.

"너…… 지금 네가 무슨 바보 같은 소릴 한 줄 알아?!"

"……난 아주 진지한데."

"네가 싸워? 그 마왕과? 그 빈약한 마술로? 삼류 마술사인 네가? 마술의 왕과? 정신 나갔어?"

"……"

"넌 마왕을 몰라서 그런 소릴 할 수 있는 거야! 그 녀석은 진짜 엄청나게 강해! 엄청나게 무섭다고! 나도 사실 두 번 다시 싸우고 싶지 않아! 그런 놈을 상대로 너 같은 게 대체 뭘 할 수 있는데!"

"……할 수 있어. 세리카, 너와 함께라면……!"

글렌의 그 말을 들은 순간, 세리카는 말문이 막혔다.

"나 혼자만이 아냐, 하얀 고양이도. 남루스도 있어! 그리고 난 내 등을 떠밀어준 마술학원의 모두의 마음을 짊어지고 여기 있는 거라고! 다들 널 도와주려 하고 있어! 넌 혼자가 아니야! 절대로 혼자가 아니라고! 혼자가 무리라면 둘이서. 둘이서 무리라면 다 같이 짊어지면 돼! 다 같이 정의의 마법사가 되면 된다고! 고작 그뿐이잖아……!"

"그, 글렌……."

"왜 넌 항상 혼자서 짊어지려는 건데?! 왜 알아들어 먹질 못하는 거야? 지금까지 몇 번이나 계속 말했잖아?!"

"그치만…… 그치만 이번만큼은…… 널 말려들게 할 수

없잖아. 원래 시대로 돌아갈 수 있다는 보장도 없고 이길 가능성도 한없이 낮지만…… 그래도 싸워야만 하는…… 인과를 이어야만 하는 싸움에 대체 누굴 끌어들이라는 거야? 누굴 의지해야 되냐고. 나도 괴로워. 괴로웠단 말야……."

"아무리 그렇다지만…… 네가 날 두고 일방적으로 떠나버렸을 땐…… 나도 울부짖고 싶을 정도로 괴로웠다고!"

글렌은 세리카에게 얼굴을 바짝 들이밀고 말했다.

"가족이라는 건 머리로 생각하는 게 아냐! 곤란한 일이 생길 때마다 같이 극복할 수 있느냐 없느냐로 가족이 되거나 그만둘 수 있는 게 아니라고! 네가 기억을 되찾았을 때…… 넌 그냥 솔직하게 모든 사정을 밝히고 나한테 한 마디만 하면 됐던 거야! 「도와달라」고!"

"……?!"

"그야 이길 수 있을지는 장담 못 해! 하지만…… 적어도 너 혼자에게만 모든 걸 짊어지게 하고 괴로움을 겪게 하진 않아! 죽든 살든 내가 함께 할 테니까! 네 무거운 짐을 아주 조금이라도 나눠서 짊어질게! 아니, 짊어지게 해줘! 여기서 아무것도 짊어지지 못하는 게 난 더 괴로우니까……!"

그런 글렌의 호소에.

"……와……줘……."

세리카는.

"도……와……."

마침내.

"……도와줘. ……제발 날 도와줘."

눈물을 뚝뚝 흘리며 글렌에게 매달렸다.

"……바보…… 처음부터 그렇게 솔직하게 말하면 됐잖아. 이 바보야……."

————.

잠시 후.

"……걸리적거리는 게 늘어났어."

겨우 마음을 가라앉힌 세리카는 눈가가 빨갛게 부은 무뚝뚝한 얼굴로 시선을 피했다.

"거기다 사람들 앞에서 엄청 창피한 꼴을 보였어."

"시꺼. 말하지 마. 나도 제법 후회하고 있으니까."

글렌이 힐끔 시선을 돌리자 시스티나, 남루스, 용족 소녀가 어색하게 시선을 피했다.

"……글렌."

어떻게든 이 분위기를 바꿔보려고 머리를 긁적인 순간, 용족 소녀가 말을 걸어왔다.

"넌…… 그때 우리를 구해준……."

"그때라는 게 언제인지는 모르겠지만, 난 르 실바. 세리카의 종자야."

살포시 미소 지은 소녀, 르 실바는 그렇게 자기소개를 했다.

"고마워 글렌. 당신이 고독한 세리카에게 다가온 태양이 되어준 거구나."

"시꺼. 무슨 시처럼 말하지 마. 부끄럽잖아."

르 실바는 다시 쿡 웃음을 터트렸다.

"맞아. 지금은 아직 인과가 확정되지 않은 특이점…… 미래는 어찌 될지 알 수 없어. 그래도 세리카가 이긴 후에는 좋은 미래가 기다릴 거라는 것을…… 당신을 보고 확신할 수 있었어."

"그건 과대평가야. 미래에서도 인간은 여전히 바보고, 같은 패배를 몇 번이나 질리지도 않고 되풀이하고 있다고."

"그래도…… 희망은 있다고, 생각해."

"나 원…… 짐이 무겁구만."

글렌은 어깨를 으쓱이며 세리카에게 말했다.

"자, 그럼 어떻게 할래? 세리카. 이제 시간이 없는데……."

"당연히 가야지."

한번 실컷 운 덕분에 마음이 정리됐는지 세리카는 의연하게 대답했다.

"하지만…… 이건 될 대로 되라는 식의 복수심 때문도, 의무감 때문도 아니야. 난 너희들의 미래를 위해 싸우겠어. 마왕을 쓰러트리겠어. ……단지 그뿐이야."

그러자 글렌은 씨익 웃었다.

"그럼 가볼까. 저《예지의 문》너머로⋯⋯."

"아, 예!"

시스티나가 황급히 동의하고 남루스와 르 실바가 고개를 끄덕인 순간.

『옳거니 그것이 바로 네 선택인가. 세리카여⋯⋯.』

문 앞에 짙은 어둠이 뭉치더니 하나의 인영을 형성했다.

붉은색 로브로 전신을 감싸고 후드 안쪽에는 무한한 어둠이 펼쳐져 있어 표정을 엿볼 수 없고 안광조차 비치지 않았다.

왼손에는 붉은 마도. 오른손에는 칠흑의 마도.

그리고 그 전신에서 피어오르는 어둠과도 같은 영기(靈氣).

마치 어둠 그 자체가 로브를 두르고 인간의 형상을 띤 것 같은 마인이 등장했다.

"칫! 그래. ⋯⋯그러고 보니 문 앞에는 네가 있었지! 세 번이나 죽였는데 설마 또 기어 나올 줄이야!"

세리카는 짜증스럽게 혀를 차며 그 마인을 노려보았다.

글렌도 익히 아는 마인이었다.

"이런⋯⋯《마황인장》아르 칸! 설마 여기서 등장하는 거야?!"

"그럴 수가⋯⋯!"

시스티나와 남루스와 르 실바도 표정이 딱딱해지며 굳어

버렸다.

아르 칸은 마왕의 부하인 마장성의 일원.

이유는 알 수 없지만, 전에 싸웠을 때보다 몸에서 흘러나오는 마력이 몇 단계는 위에 있었다.

그때는 수천 년의 세월에 걸쳐 약해졌거나 아니면 다른 이유가 있었던 것일까.

글렌으로서는 알 수 없었지만, 이 문을 지키는 마인과의 싸움이 상상을 초월한 사투가 될 것임은 틀림없었다.

'젠장. 시간이 없는 데다 아직 마왕도 남아 있는데……!'

글렌이 그렇게 이를 악물고 전투태세를 취한 순간.

"……?"

문득 기묘한 위화감이 들었다.

아르 칸은 확실히 무지막지한 마력을 드러내고 있었지만, 전에 몸소 체감했던 그 폭력적인 수준의 살기와 압력은 전혀 느껴지지 않았던 것이다.

『…….』

아르 칸도 세리카 외에는 전혀 관심도 없는지 주위에는 눈길도 주지 않고 그녀만을 바라보고 있었다.

지금은 나서지 않는 편이 나을 거란 판단을 내린 글렌은 일단 세리카와 아르 칸의 동향을 살피는 데 온 힘을 기울이기로 했다.

"……흥. 그래서? 또 싸우자고?"

세리카는 문을 향해 걸으며 도발하듯 말했다.

"좋아. 몇 번을 죽여도 안 죽는다면 죽을 때까지 죽이면 될 뿐."

『지금의 그대와 싸울 생각은 없다. 예전까지의 그대였다면 가차 없이 베어버렸겠다만.』

하지만 아르 칸은 아무렇지 않게 싸울 의지가 없음을 드러냈다.

"……응? 그게 무슨 뜻이지? 넌 마왕의 부하인 마장성이 잖아?"

『그러하다. 하지만 난 그 이상으로 나에게 어울리는 주인을 찾고 있다.』

"뭐어?"

『그 목적을 위해 난 《밤하늘의 처녀》와 거래하여 열셋의 목숨을, 「인간의 형태」를 손에 넣은 것인즉…….』

글렌은 저 마인이 대체 무슨 말을 하는지 전혀 이해할 수 없었다.

하지만 지금은 그저 지켜보는 수밖에 없었다.

『세리카여. 나는 이 몸을 휘두를 진정한 주인을 찾고 있다.』

"……?"

『티투스 쿠뤄…… 확실히 이 분기 세계에서 내 주인이 될 만 한 건 그자뿐이었다. 허나…… 세리카. 지금 그대가 놈에 게 도전하려는 그 의지의 빛에 나는 그대에게서도 자격을 찾았다. 그대야말로 내 진정한 주인이 되기에 마땅한 자……
일지도 모르겠군.』

"……뭐어?"

『아직도 모르겠는가. 그대들, 인간이 진정으로 맞서야 할
바닥이 보이지 않는 사악한 존재를. 암흑 속에서 모든 것을
비웃고, 어둠에서 나와 어둠으로 기어 오는 「무구한 어둠의
존재」를. 그대는 알지 못하는가. 아직도.』

"아르 칸…… 너 대체 무슨 소릴……."

『지금은 아직 그때가 아니다. 어둠을 경계하라. 허나 두려
워하지는 말라. 그대들, 인간의 의지만이 그 사악한 존재를
칠 칼날이 될지니…….』

그렇게 말한 마인은 결국 세리카 외에는 일별조차 하지
않고 천천히 어둠 속으로 녹기 시작했다.

『내 본체는 이 존귀한 《문》 너머에서 기다리고 있다. 언젠
가 그 순간이 왔을 때, 내 주인이 될 자가 그대이기를 기원
하마. 세리카여.』

그 말을 끝으로 마인의 모습과 기척은 완전히 사라졌다.

"뭐, 뭐였지? 저 녀석……. 뭐, 전에 싸웠을 때도 비슷하게
이상한 소릴 했던 거 같긴 한데……."

긴장이 풀린 글렌이 깊은 한숨을 내쉬며 투덜거렸다.

"마왕의 부하, 마장성. 그들은 다양한 이유로 마왕의 군
문에 들어와 마왕의 첨병이 된 최강의 마술사들이죠."

시스티나도 식은땀을 훔치며 말했다.

"그들이 마왕을 따르는 이유나 행동 원리는 제각각 다르지만…… 기본적으로는 인간이 품는 욕망의 연장선…… 인간이 이해할 수 있는 범주였어요."

예를 들면 부, 권력, 지식, 무력, 투장을 바라거나 마왕을 따르는 것이야말로 이 세상을 위한 최선의 방법이라고 믿거나.

마장성들의 행동 원리는 이렇듯 동의는 할 수 없지만, 기본적으론 이해할 수 있는 범주에 속해 있었다.

"하지만 《마황인장》아르 칸…… 그만은 마지막까지 그 행동 원리를 제대로 이해할 수 없었어요. 동화 『멜갈리우스의 마법사』의 저자인 롤랑 엘트리아도 《마황인장》을 어떻게 다뤄야 할지 난감했는지 억지로 「진정한 주인을 찾아 헤매는 무인」이라는 캐릭터성을 붙였을 정도니까요."

"뭐, 영 틀린 묘사도 아닌 거 같다만…… 결국 마지막까지 정체를 알 수 없는 마인이었나."

글렌이 머리를 긁적이며 중얼거린 순간.

"……뭐, 이번에는 잘됐군."

세리카가 문을 향해 걷기 시작했다.

"이유는 잘 모르겠지만…… 아르 칸과 싸우지 않고 저 《예지의 문》을 통과할 수 있다니, 운이 좋아. 저번에는 여기서 전투력을 잔뜩 소모했었으니 말이지."

"세리카……"

"가자, 글렌."

세리카는 글렌을 돌아보며 말했다.

"난 반드시 마왕을 쓰러트리고 이 과거와 미래의 인과를 잇겠어. 너희들의 미래를 지키겠어. 그러니…… 너도 내 힘이 되어다오."

"그래, 물론이지. 끝을 내자고."

힘차게 고개를 끄덕인 글렌은 그대로 세리카의 뒤를 따랐다.

이렇게 일행은 느긋하게 《예지의 문》으로 들어갔다.

최후의 싸움이 머지않았다.

하지만 신기하게도 글렌은 질 것 같은 기분이 들지 않았다.

그렇다. 과거에 자신이 동경했던 「정의의 마법사」. 심지어 그 본인과 함께 싸우는데 대체 뭘 두려워 할 필요가 있을까. 오히려 흥분이 될 정도였다.

설마 이런 역사의 분수령에 서게 될 줄이야.

아마 자신은 만약 이 싸움에서 죽더라도 전혀 후회하지 않으리라.

————.

그런 식으로 어딘지 모르게 들떠버린 글렌은 결국 마지막까지 눈치채지 못했다.

세리카가 했던 말.

—인과를 잇겠다.

—미래를 지키겠다.

그녀는 단지 그렇게만 말하고「글렌과 함께 미래로 돌아가 겠다」는 말은 단 한 번도 하지 않았다는 사실을…….

단장 멜갈리우스의 마법사 V

꿈을— 꿨다.

이제는 아득히 멀고 먼 과거의 이야기.

어느 한 마법사의 이야기를.

————.

"커헉! 쿨럭!"

세리카를 피를 토하며 바닥에 무릎을 꿇었다.

"어리석어, 세리카."

마왕이 미소 지었다.

마침내 시작된 세리카와 마왕의 싸움.

그녀는 많은 것을 희생해가며 마침내 여기까지 도달했다.

하지만 마왕은 압도적으로 강했다.

어느 정도 선전하긴 했지만, 결국 세리카는 속수무책으로 빈사 상태까지 몰리고 말했다.

마왕 앞에서 꼴사납게 무릎을 꿇을 수밖에 없었던 것이다.

"……어째서야. 어째서냐고! 제기랄! 내가 널 쳐죽이려고 대체 몇 년을 고생했는데……!"

원망과 매도. 세리카는 원통한 눈물을 흘리며 바닥을 두들겼다.

"빌어먹을! 동생을…… 내 동생을 돌려줘! 얌전히 내 손에 죽어
달란 말이다! 이 망할 자식아!"

"하하하, 그건 사양하고 싶은걸?"

마왕이 비웃었다.

"솔직히…… 내 부하인 마장성을 몇이나 격파했다고 들어서 얼
마나 굉장한 마술사가 됐을지 내심 조마조마했는데 말이지?
……솔직히 말해 실망했어."

"……큭?!"

"결국 넌 그냥 「우수한 마술사」에 불과해. 부족하다고. 그 정도
로는 내 영역에 전혀 닿을 수 없어."

마왕을 양팔을 펼치며 말했다.

"나에겐 사명이 있어. 해내야만 하는 일이 있어. 그래. 모든 건
이 세상을 올바르게 구제하기 위해…… 나에겐 흔들림 없는 신념
이 있어."

"……!"

"반면에 넌 어떻지? 내가 열받게 하니까 죽이겠다? 심지어 마
지못해서? 하하하, 만인을 위해 모든 걸 바친 내 신념과 각오에는
발끝도 미치지 못해. 「그대, 바라는 것이 있다면 타인의 소망을
화로에 지펴라」…… 이건 그 어떤 거창한 마술이론보다 근본적인
마술의 대원칙이야. 마술은 세계의 진리를 추구하고 이 세상의 섭

리를 다루기 이전에…… 자신의 마음을 탐구하는 학문이니까. 그 마음가짐의 차이가 이렇게 너와 나의 실력 차로 드러난 거지."

"……건방지게…… 가르침을……!"

"약해. 넌 약해. 너무 약해."

"닥쳐. 동생을 돌려줘. 돌려달라고오오오오오오오!"

"유감스럽지만, 그건 무리야."

마왕은 잔혹하게 웃었다.

"그녀는 이미 죽었어. ……그 정도는 너도 알고 있었잖아?"

"빌어먹을! 제기랄! 아아아악!"

"하지만 네 동생은 마술의 실험체로 훌륭했어. 그녀 덕분에 만약의 보험…… 【막달라의 수태의식】도 완성할 수 있었지. 그녀 본인은 이미 죽은 지 오래지만, 육체의 진 코드와 영혼체의 세피라 맵은 완벽하게 보존한 상태야. 그러니 《부활의 신전》에서 간단히 부활시킬 수 있어. 언제든지 그녀를 「사용」할 수 있게 됐지. ……이것으로 내가 패배할 가능성은 사라졌어. 그리고 이제 곧 금기고전이 내 손에 들어오겠지. 난, 나는 드디어 승리한 거야!"

"……무슨 영문 모를 소리를……! 내가 안 건 네가 여전히 똥파리 이하의 쓰레기 자식이라는 것뿐이거든?!"

"……이거 참. 역시 넌 마음가짐이 얕아. 그래서 넌 그 정도인 거야."

그렇게 말한 마왕이 세리카 앞에서 팔을 휘두르자 공간이 찢어지고 차원이 찢어졌다.

세상 모든 것이 무한한 허무로 변모했다.

"너만 한 수준의 마술사를 그냥 죽이는 것만으론 좀 불안해. 아무튼 소생이나 부활 수단은 얼마든지 있으니 말이지. 그러니 이게 가장 좋은 방법일 거야."

그러자 세리카의 몸이 저 허무의 아득한 저편으로 빨려 들어가기 시작했다.

"잘 가, 세리카. 널 이차원으로 추방할게. 이제 두 번 다시 너와 만나게 될 일은 없을 거야."

"젠장…… 제기라아아아아아아아아아아아앗!"

그리고 세리카는…….

………….

제6장 진설·멜갈리우스의 마법사

"……."

이제 슬슬 이 꿈을 꾸는 것도 익숙해진 글렌은 자연스럽게 눈을 떴다.

지금 자신들은 《예지의 문》을 지나 안쪽으로 향하는 중이었다.

주위는 어둡고 마치 덧칠한 것처럼 깊은 어둠 속이었다.

하지만 어째선지 서로의 모습이 보이지 않는 건 아니었다. 마치 무한한 허공을 걷고 있는 것 같았다.

앞에는 남루스와 르 실바. 뒤에서는 시스티나가 조심스럽게 따라오고 있다.

"……."

그리고 옆에는 세리카가 나란히 걷고 있었다.

언뜻 의연한 태도였지만, 자세히 보니 그녀는 어깨를 살짝 떨고 있었다.

"……무서워?"

"그래."

글렌의 질문에 세리카는 앞을 응시한 채 솔직히 대답했다.

"내 주관으로는…… 벌써 4백 년 전인가. 그때 난 내가 가진 모든 걸 총동원해서 마왕에게 도전했고…… 패배했어. 그런 상대와 또 싸울 걸 생각하니 떨림이 멎지 않아."

"……"

"하지만…… 괜찮아. 네가 있으니까."

"그래."

그런 대화를 나누며 천천히 어둠 속을 걷고 있자 곧 통로가 사라지고 전방에 눈부신 아치형 출구가 보이기 시작했다.

그것을 통과한 순간, 세상이 새하얗게 타오르고 정신이 아득해졌다.

그리고…….

———.

"여긴……?"

어느덧 정신을 차리고 보니 일행은 세찬 바람이 휘몰아치는 장소에 서 있었다.

방심하면 풍압에 몸이 날아갈 정도다.

"……뭐, 뭐야 여긴! ……지하가 아니었어?"

때는 황혼 무렵.

어둠의 장막이 내리기 시작하고 새빨갛게 타오르는 하늘이 한없이 가까운 장소.

공기가 희박하고 발밑에선 구름이 흘러가고 있다.

이곳은 작은 섬 같은 장소의 외주부였다.

뒤에는 지금 자신들이 지나온 문.

섬 주위나 머리 위에는 크고 작은 형상의 건조물과, 신비한 문양이 빼곡하게 새겨지고 마력이 흘러넘치는 거대한 결정체가 수없이 떠 있었다.

섬의 중심부에는 역시 기묘한 조형의 성 같은 건조물이 거대한 결정체 구조물과 혼연일체가 된 모습으로 우뚝 솟아 있었다.

머리 위를 올려다보면 무한히 펼쳐진 **대지**.

발밑을 내려다보면 무한히 펼쳐진 **하늘**.

뒤를 보고 앞으로 봐도 눈에 들어오는 건 하늘과 땅이 뒤집힌 지평선.

그런 지평선에 **반쯤** 가라앉은 태양이 하늘과 땅의 경계를 새빨갛게 불태우고 있었다.

중력의 법칙을 벗어난 모든 것이 뒤집힌 세계.

"잠깐만…… 여긴 대체 뭐야!"

"세상에…… 설마…… 여긴…….'

글렌이 혼란에 빠졌지만, 시스티나는 몸을 덜덜 떨기 시작했다.

"야, 넌 또 왜 그래? 하얀 고양이. 혹시 이 장소가 어딘지 아는 거야?"

"아, 아직도 모르시겠어요?! 여기가 어딘지!"

시스티나는 도저히 믿을 수 없다는 얼굴로 글렌을 응시했다.

"그야 여긴…… 저희가 늘 보고 있던 그곳이라구요!"

"……?!"

시스티나의 지적을 들은 글렌은 그제야 깨달았다.

이 섬과 건조물들의 모습은 확실히 낮이 익었다.

그렇다. 거리와 각도가 달라서 바로 눈치채지 못했을 뿐.

그리고 머리 위에 펼쳐진 대지도 무척 익숙한 지형이었다.

그 땅 위에 펼쳐진 광대한 고대도시. 그 중심부에 솟은 거대한 사각추형 건조물은 바로 《비탄의 탑》이었던 것이다.

"자, 잠깐…… 설마…… 여기가?"

그제야 여기가 어딘지 알게 된 글렌의 목소리도 떨리기 시작했다.

그렇다. 동화 『멜갈리우스의 마법사』에서도 정의의 마법사와 마왕의 최종 결전 장소는 분명 **그곳**이었을 터.

"설마…… 여기가!"

—멜갈리우스의 천공성.

페지테 상공에 떠 있는 환영의 성.

수없이 많은 마술사들의 꿈을 모으고, 끌어들이고, 무너트리고, 땅에 떨어트려온 마도 고고학 최대의 수수께끼.

그것이 지금 여기에, 하늘과 땅이 뒤집힌 자신들 눈앞에 있었던 것이다.

"아아…… 여기가…… 여기가 바로 그……!"

무한한 감동한 빠진 시스티나는 눈이 찢어지는 게 아닐까 싶을 정도로 크게 부릅뜨고 있었다. 자신의 망막에 이 광경을 전부 새기려고 하면서 멍하니 중얼거렸다.

"이 광경이 바로…… 할아버님이 추구하셨던 광경…… 보고 싶어 하셨던 세계…… 나의…… 우리의 꿈…… 그게 정말…… 정말로……."

바람이 부는 소리만이 주위를 지배했다.

시스티나는 내버려두면 이대로 계속 영원히 이 광경을 지켜보기만 할 기세였다.

"이걸 뭔 수로 알아. ……설마 지하의 그 장소가 여기로 이어져 있을 줄……."

"왠지 감회에 젖어 있는 것 같은 와중에 미안한데."

갑자기 남루스가 찬물을 끼얹듯 말했다.

"그러고 있을 여유는 없어. 마중 나왔어."

그리고 위를 올려다보았다.

"나의 거성…… 멜갈리우스의 천공성에 어서 와."

그러자 그곳에는 한 청년이 하늘에 떠 있었다.

검은색 베이스의 현란한 망토를 두르고 검은 머리가 바람에 나부끼는 검은 눈동자의 청년이다.

언뜻 보기엔 아무런 특징도 없는 평범한 인상이었지만, 긴 세월을 살아온 자 특유의 관록과 지혜가 자연스럽게 배어나왔다. 그리고 무엇보다 언뜻 온화해 보이는 그 눈에서는 들끓는 광기와, 깜빡이기만 해도 모든 것을 압살할 듯한 압도적인 존재감과 절대적인 마력이 흘러나오고 있었다.

그런 존재감을 지녔음에도 다른 마장성들이 지닌 압박감과 위압감은 전혀 느껴지지 않는 한없이 자연체에 가까운 존재.

그러하기에 오히려 누구보다 공포스러웠다.

인간이 거역해선 안 되는 존재라고 본능이 경고하는 존재.

그렇다. 저자가. 저자가 바로.

"마왕…… 티투스! 모든 원흉이자 흑막!"

"원흉이라니, 말이 좀 심한걸. 난 그저 이 세계의 모든 걸 사랑해서, 그 모든 걸 구원하기 위해 지금까지 쭉 노력해온 것뿐인데 말야."

"그, 그게 네가 할 소리냐!"

울컥 화가 치민 글렌을 세리카가 제지했다.

"글렌, 소용없어. 놈과 계속 말을 섞어봤자 결국 시간 낭비야."

"……세리카."

"우리가 나눌 말은 서로를 죽일 주문뿐이야."

"맞아."

세리카의 말에 마왕이 방긋 웃으며 대답했다.

"이 장소는 《비탄의 탑》 90층 『땅의 백성의 도시』라고 하는데…… 요컨대, 저 성에 이르기 위한 최종 방어선인 셈이지."

글렌이 주위를 돌아보자 확실히 주위의 성과 건조물들은 그렇게 부르지 못할 것 없는 구조를 띠고 있었다.

"지금은 《문의 신》과 교신하는 의식의 최종단계…… 사람을 몇이나 저 성 내부로 들여보낼 수는 없어. 그러니 이렇게 내가 직접 너희를 맞이하러 나온 거야. ……저번에 세리카와 싸웠을 때처럼."

"……!"

"그래. 조금만…… 조금만 더 있으면 난 금기교전을 손에 넣을 수 있어! 모든 비원을 이룰 수 있어! 이 세상을 진정으로 구제할 수 있는 거야!"

그러자 마왕이 갑자기 뭔가 불이 붙은 듯 격정을 드러내며 외쳤다.

"절대로 방해 못 해. 방해하게 내버려둘까 보냐아아아아아아아아아아아아!"

쿵!

그 순간, 마왕의 마력이 천지를 뒤흔들며 상승했다. 폭력적인 마력이 주위에 휘몰아쳤다.

그 기세에 일행은 무심코 한 발짝 물러섰다.

그리고 격정에 휩싸인 그 마왕을 뒤에서 살며시 껴안는 존재가 있었다.

등에 이형의 날개가 달린 소녀.

남루스. 혹은 루미아와 똑닮은 저 소녀의 정체는.

"레 파리아……!"

남루스는 지긋지긋한 눈으로 소녀를 응시했다.

"어머, 오랜만이야. 배신자 라 틸리카 언니……."

레 파리아는 옥구슬 같은 목소리로 기품 있게 웃었다.

"이 바보 동생! 넌 대체 언제까지 그 머리가 맛이 간 쓰레기한테 헌신할 건데?! 슬슬 눈을 좀 떠!"

"닥쳐. 이 바람둥이 배신자. ……언니야말로 이런 불쌍한 사람을 왜 그토록 무자비하고 무참하게 버린 건데? 언니한테는 마음이라는 게 없는 거야? 그 여잔 누구?"

소름이 끼칠 정도로 감정이 느껴지지 않는 눈으로 남루스를 내려다본 레 파리아는 어째선지 더 차가운 눈으로 글렌을 쳐다보았다.

"심지어 그냥 바람만 피운 게 아니라…… 설마 양다리? 아하하! 어이없을 정도로 엉덩이가 가벼운 여자였구나? 언니는."

"뭐? 양다리? 너, 그게 무슨……."

그야말로 일촉즉발의 분위기가 된 순간.

펑!

맹렬한 바람의 포탄이 글렌 일행을 향해 날아왔다.

"선생님! 교수님! 위험해요!"

시스티나는 반사적으로 같은 바람을 두른 양손으로 그 바람의 포탄을 분해했다.

그러자 좌우로 갈라진 바람의 에너지가 그 자리에 휘몰아치며 주위에 강렬한 파괴를 초래했다.

시스티나가 그 바람의 포탄이 날아온 장소, 하늘에 떠 있는 탑 꼭대기를 본 순간.

"……결국 온 거군요. 시스티나."

최후의 마장성, 마왕에게 가장 충성심이 높은 《풍황취장》 실 비사가 모습을 드러냈다.

"말했었죠? 다음에 대치할 때는 적이라고."

"큭……! 실 비사 씨!"

글렌은 서로를 노려보는 시스티나와 실 비사를 번갈아 살피며 생각했다.

'젠장. ……그리고 보니 동화에서도 그런 녀석이 나오긴 했었지. 지금까지 잠잠하길래 혹시 이대로 안 나오나 싶었는데…… 하긴 그렇게 쉽게 흘러갈 리가 있나.'

왜 저 둘이 서로를 알고 있고 둘 사이에 어떤 인연이 있는지는 알 수 없었지만, 지금은 그런 걸 일일이 물어볼 여유가 조금도 없었다.

현 상황에서 실 비사는 시스티나에게 맡길 수밖에 없으리라.

"……이런 종류의 문답은 저번에 싸우기 전에도 실컷 했어. 이제 더 이상 마왕과 말을 섞는 건 의미가 없고 시간 낭비야."

용족 소녀 르 실바가 글렌 옆을 지나 앞으로 나섰다.

이제 와서 하는 말이지만 사실 용이라는 세계 최강의 전위인 그녀의 존재가 무척 마음 든든하게 느껴졌다.

사실 외모가 외모인 만큼 살짝 양심이 찔렸고, 용의 힘이 저 마왕의 어디까지 통할지는 아직 알 수 없었지만 말이다.

"그럼 시작해볼까."

"그래."

글렌과 세리카는 서로 고개를 끄덕이며 전투태세를 취했다.

"시작하자! 종말과 시작의 광소극(狂騷劇)을……!"

그러자 마왕은 양팔을 펼치고 한층 더 마력을 끌어올리며 하늘 높이 날아올랐다.

동화 『멜갈리우스의 마법사』, 그 최종 결전의 진정한 막이 오른 것이다.

───────.

"《아르스 마그나》!"

개막은 남루스의 능력 전개로 시작되었다.

그녀가 흩뿌린 빛의 입자를 받은 글렌과 시스티나의 마술 능력이 극한까지 강화되었다.

지금 이 순간, 둘의 능력이 세계 최고봉의 마술 전투에 간신히 개입할 수 있을 정도가 된 것이다.

"글렌! 시스티나! 내 힘을 남김없이 전개했어! 그렇다고 딱히 죽는 건 아니니까…… 사양하지 말고 나란 존재를 마음껏 사용해!"

맨 뒤에서 외치는 남루스의 몸이 빛의 입자를 흩뿌리며 조금씩 소멸하고 있었다.

"미안하다!"

글렌은 망설임 없이 마총 《퀸 킬러》를 뽑아 발사했다.

초강력한 탄환이 그의 이미지대로 궤도를 그리며 하늘 위에 있는 마왕을 향해 날아갔다.

《허공에서 온 나…….》

하지만 마왕은 벌써 주문을 영창하고 있었다.

《침묵의 지배자·하늘에 이르는 왕관은 마침내 마천(魔天)을 움켜잡고·그 피를 바쳐 토끼의 연회에 피로 된 술을 헌상하리라·그대, 육천세계의 지배자를 칭하는 자이기에》."

마왕이 서서히 팔을 휘두르고.

"공천신비(空天神秘)【INFINITE ZERO DRIVE】."

그렇게 선언한 순간.

마력이 울리는 소리와 함께 세계가 변화했다.

모든 것이 암전하고 빛의 격자 형태가 세계의 소실점까지 퍼져 나가 무한한 이공간으로 변했다.

그러자 마왕을 향해 날아가던 탄환이 추진력을 잃고 밑으로 툭 떨어졌다.

"망할! 저게 피아의 거리를 무한대로 늘리는 치트기(技)의 오리지널이냐!"

글렌은 이를 악물었다.

무한대의 거리. 단순 명쾌하면서도 절대적인 방패.

그 앞에서는 모든 공격이 통하지 않았다.

하지만 세리카도 한쪽 팔을 들고 외쳤다.

"《시간의 가장 끝에서 떠난 나…….》"

마왕이 조금 전에 영창한 주문과 울림이 비슷하지만 다른 주문을 읊조렸다.

"《통곡과 소란의 마천루·시간에 이르는 큰 강은 제9의 흑염지옥에 다다르고·그 영혼을 먹어치우는 흑마는 스스로의 죽음을 고한다·나, 육천세계의 혁명자를 자칭하는 자이기에》."

그리고 세리카가 선언했다.

"시천신비(時天神秘)【OVER CHRONO ACCEL】."

그 순간, 이번에도 세계가 변화했다.

마력의 선이 질주하고, 얽히며 머리 위에, 발밑에 초거대한 시계 같은 문양을 그렸다.

그러자 시계의 침이 쌍방향으로 맹렬히 회전하기 시작했다.

마왕이 전개한 세계 결계와 세리카가 전개한 세계 결계.

그 양쪽 세계가 서로를 먹어치우기 위해 힘겨루기를 시작하자 수많은 마력의 스파크가 발생했다.

"안심해, 글렌. 저건 대책이 있으니까."

마력을 전력으로 방출해서 결계를 유지하는 세리카가 말했다.

"모든 거리를 무한대로 늘린다는 건, 다시 말해. 공격의 도달 시간을 무한대로 늘린다는 거나 다름없어. 그럼 그 도달 시간을 강제로 찰나까지 줄여버리면 되는 거지."

"야, 무슨 말인지 전혀 모르겠거든?!"

"나 참, 이해력이 부족하구만. 그래도 네가 내 제자야?"

그러자 마왕이 두 개의 이공간이 힘겨루기를 하는 마계에서 손을 과장스럽게 펼치며 웃었다.

"시간과 공간은 표리일체의 개념. 떼려야 뗄 수 없는 밀접한 관계를 가지고 있어. 흠…… 내가 있던 예전 세계에서는 아인슈타인의 『특수 상대성 이론』……이라고 했던가? 예를 들면 이 차원수, 혹은 은하 끝의 팽창. 빛의 속도는 모든 관측자에겐 불변이지만, 시간은 관측자에 따라 달라. 즉, 나와 세리카는 이 공간을 세계에서 잘라내서 양쪽이 원하는 상대적인 4차원 유클리드 방향으로 초광속 이차원 이동을 시키고 있는 거지."

"즉, 이 한정된 결계 안에서 마왕은 모든 공간을 자유자재로 지배하고 난 모든 시간을 자유자재로 지배할 수 있다는 거야."

"하지만 시간은 공간에 지배당하고, 공간은 시간에 지배당해. 그것들은 떼려야 뗄 수 없는 표리일체의 개념이니까."

"그러하기에 결과는 상쇄. 이제 이해했어? 마왕에게 맞설 수 있는 존재가 왜 나뿐인지."

"이해할 리 있겠냐, 바보!"

너무나도 차원이 다른 수준의 신비를 당연한 듯 말하는 두 사람 앞에서 글렌은 두통을 느끼기 시작했다.

그러자 남루스가 대화에 끼어들었다.

"내가 세리카에게 준 시천신비. 레 파리아가 마왕에게 준 공천신비. 이 둘은 전개한 순간, 절대적인 승리를 약속하는 말 그대로의 필살술식이야."

"그야 그렇겠지. 아무리 강력한 공격도 결국 일정한 시간과 공간의 파라미터를 지닌 법이니까 그 효과 시간을 0으로 만들거나, 피아의 거리를 무한정 늘리거나, 도달 시간을 영원히 늘리거나, 효과 범위를 0으로 만드는 식으로 근본적인 파라미터를 일방적으로 조작할 수 있다면 승부가 될 리 없잖아! 이건 치트 수준이 아니라고!"

"그리고 모든 물질은 시간과 공간에 의해 정의돼. 분자결합의 간격이 무한히 늘어났는데도 붕괴하지 않는 물질은 없고 무한한 시간의 경과 속에서 분해되지 않는 물질도 없어.

그러니……."

"아~ 그래! 알았다고 알았어! 요컨대 뭐야! 그거지? 세리카가 이 정신 나간 결계를 전개해야 비로소 마왕과 싸울 수 있게 됐다는 거지?! 설명이 쓸데없이 길다고!"

글렌은 몸을 뒤집으며 마총 《페네트레이터》를 뽑아 발사했다.

그러자 탄환이 마왕을 노리고 일직선으로 날아갔지만, 마왕은 가볍게 몸을 비틀어서 **피했다.**

"그 말대로야. 내 공천신비에 대항해 세리카가 시천신비를 전개해야 비로소 전투가 성립돼. 나와 같은 무대에 설 수 있는 셈이지. 하지만…… 과연 그녀가 언제까지 버틸 수 있을까?"

"커헉?!"

마왕이 지적한 순간, 세리카가 피를 토하며 비틀거렸다.

"세리카?!"

"난 신경 쓰지 마!"

세리카는 기합으로 의식을 유지하며 외쳤다.

"원래 이런 대결이었어! 막대한 마력을 소모하는 결계를 상대보다 오래 유지하는…… 그런 인내심 대결이야! 그리고 그 대결에선 내가 한없이 불리해. 저번에도 전혀 상대가 되지 않았어!"

"……!"

"자, 그럼 서로 규칙을 이해한 것 같으니 슬슬 시작해볼까?

······세계 최고봉의 마술 전투를.”

마왕은 여유 있는 표정으로 천천히 전투태세를 취했다.

저 현기증이 날 것 같은 결계를 유지하면서 공간에 손가락을 놀려 문자를 쓰더니 솜털이 곤두설 것 같은 초월적인 신비를 수십 단위로 고속 전개했다.

“글렌! 저 신비는 한 방도 맞으면 안 돼!”

르 실바가 그런 마왕을 향해 돌진을 개시했다.

“나도 안다고, 망할. ······그래, 어디 해보자고오오오오오오!”

글렌도 반쯤 자포자기하면서 마왕을 향해 달려들었다.

“칫!”

세리카도 즉시 주문을 영창하기 시작했고 강대한 마력과 마력이 충돌하며 마치 초신성 폭발 같은 현상을 일으켰다.

············.

“뭐, 뭐죠? 저 싸움은······.”

글렌 일행의 싸움을 멀리서 지켜본 시스티나는 아연실색할 수밖에 없었다.

두 개의 무한 공간에 명멸하는 헤아릴 수 없이 많은 빛.

그것이 마치 별들이 충돌해서 부서지는 것만 같은 광경이었다.

그녀가 있는 곳은 글렌 일행이 싸우는 두 결계의 외부였다.

시간과 공간의 이차원 세계에 말려들기 직전에 실 비사의 바람이 그녀를 밖으로 끌어냈기 때문이었다.

"지금 딴 곳을 볼 여유가 있나요? 시스티나."

그러자 실 비사가 굳은 목소리로 말했다.

"실 비사 씨, 대체 왜……!"

그제야 정신을 차린 시스티나가 뒤를 돌아보며 외쳤다.

"당신은 이제 알잖아요! 뭐가 옳고, 뭐가 그른지! 그런데 지금 당신이 하는 일이 옳은 일인가요?!"

"그야 그릇된 일이죠. 제가 해온 건 인류에 대한 모독에 불과했어요."

"그럼……."

"그래서예요. 저에겐 책임이 있습니다. 자, 오세요. 시스티나. 마왕에게 힘을 빌려준 어리석은 마장성을, 당신의 손으로 토벌하는 겁니다!"

그렇게 말한 실 비사는 녹색 열쇠를 꺼내 자신의 가슴에 꽂고 돌렸다.

그러자 그녀의 몸에서 흘러나온 무지막지한 바람이 녹색으로 빛나며 주위에 소용돌이쳤다.

그리고 실 비사의 모습이 변하기 시작했다.

요염한 여성의 실루엣을 유지하면서도 전신이 새하얀 로브로 뒤덮이고 후드 아래는 무한한 어둠으로 변한 그 몸에서 강대하면서도 폭력적인 마력을 뿜어내기 시작했다.

마장성.《풍황취장》실 비사.

그 진정한 모습이 마침내 현현한 것이다.

"미리 말해두지만, 당신이 상대하는 전 어떤 의미로는 마왕보다 가혹할 거랍니다?"

"······?!"

"나는《풍황취장》실 비사······ 이타콰의 신관. 즉, 외우주의 사신의 일원인 바람을 다스리는 여왕 풍신 이타콰의 무녀."

실 비사가 그렇게 선언한 순간, 불온한 울림과 함께 공간에 균열이 일어났다.

무한한 허무로 채워진 균열이.

그리고 그 안쪽에서 누군가가 소름끼칠 정도로 하얗고 거대한 손을 뻗어 균열을 벌리기 시작했다. 어떻게든 이쪽 세계에 침입하려고 억지로 벌렸다.

이윽고 그 틈에서 이쪽 세계를 들여다본 거대한 눈은, 형용하기 어려운 모독적인 위용으로 인간의 존재 따윈 먼지나 다름없다는 사실을 자각하게 하는 존재규격이 너무나도 다른 저 존재는······ 저 신성(神性)은······.

"아, 아아아아, 아아아아아아아아아아아아아아아아아아아아아아아아아?!"

상식과 이성이 비상식과 광기에 짓눌리는 순간에 나오는 소리에 가까운 목소리가 시스티나의 목구멍에서 쥐어짜 내졌다.

"이타콰. ……그것은 알아선 안 되는 이름. 이해해선 안 되는 존재."

실 비사는 담담한 목소리로 말했다.

"단 한 줄기 바람과 함께 모든 공간과 차원을 넘나드는 구시대의 지배자 중 하나. 시간을 넘는 광기와 폭거. 바람으로 영겁을 난도질하는 자. 그가 약속하는 건 삼천대천세계의 종언과 종말. ……시스티나, 당신의 이성이 과연 이 싸움을 견딜 수 있을까요?"

실 비사가 마치 유혹하듯 손을 하늘하늘 움직이자, 그 누군가가 펼친 공간의 균열에서 맹렬한 「검은 바람」이 시스티나를 향해 쇄도했다.

아니, 그건 이미 바람이 아니었다. 폭발적인 지향성을 가진 「공간 왜곡」이었다.

인간 따윈 닿기만 해도 그 즉시 소멸해버린 그 바람의 맹위 앞에서.

"아아아아아아아아아아아아아아!"

이성이 무너진 충격으로 절규하던 시스티나가 갑자기 이를 악물더니 실 비사를 노려보았다.

"《나를 따르라 · 바람의 백성이여 · 나는 바람을 다스리는 공주일지니》이이이이이이이이이이!"

그리고 그대로 흑마 개량형 【스톰 그래스퍼】를 발동. 남루스가 준 《아르스 마그나》의 힘을 담아 전신전령의 최대 출력을 전개했다.

그리고 자신을 향해 날아오는 검은 바람을 간신히 쓸어내자, 좌우로 갈라진 폭풍이 공간을 비틀듯 뒤섞였다.

그 여파로 시스티나가 걸친 하얀 망토가 세차게 휘날렸다.

그리고 조금이라도 전개가 늦었다면 육체가 산산이 부서져서 소멸했을 거라는 걸 자각한 순간, 소름이 끼치는 것을 견딜 수 없었다.

"제가 기대한 대로 강한 아이군요."

그러자 마치 실 비사가 웃은 것 같은 기분이 들었다.

"당신은 **그녀**를 보고도 자아가 붕괴하지 않았어요. 그리고…… 역시 좋은 바람을 가졌군요. 시스티나."

"무, 무슨……."

"하지만 당신의 바람은 고작 그 정도가 아닐 터. 보여주세요, 당신의 더 강한 바람을. 그렇지 못한다면 당신은 여기서 죽을 뿐입니다."

그렇게 일방적으로 말한 실 비사는 허공의 틈새에서 새로운 바람을 날렸다.

"으, 으아아아아아아아아아아아아아아아아앗!"

한없이 강맹해지는 그녀의 바람을, 시스티나는 고함을 지르며 전력으로 막았다.

―――――.

"《홍련의 사자여·분노에 몸을 맡기고·사납게 울부짖어라》!"

글렌은 마왕을 향해 달리며 흑마 【블레이즈 버스트】를 영창해 화염구를 집어던졌다.

남루스의 《아르스 마그나》의 영향을 받은 그 주문은 B급 군용 어설트 스펠급 위력을 지녔다.

이것을 견제기로 삼아 간신히 마왕의 품으로 접근하고 싶었지만, 곧 공간이 뒤틀리는 듯한 굉음과 함께 마왕과 레파리아를 휩쓴 폭발은 둘에게 아무런 상처도 주지 못했다.

"젠장! 이건 어떠냐!"

글렌은 이어서 마총 《퀸 킬러》를 뽑아들고 즉시 발사했다.

공간을 가르며 날아가는 탄환이 원을 그리며 마왕의 옆머리를 노렸지만, 갑자기 공간에 균열이 생기더니 그대로 탄환을 집어삼켰다.

"시끄러운 날벌레네."

마왕은 약간 불쾌한 표정으로 글렌을 쳐다보고 손가락을 튕겼다.

그러자 마왕의 머리 위에 수백 개의 화염창이 생성되었다.

초고열로 붉게 빛나는 저것들 하나하나에는 미래의 불꽃마술 따윈 발끝에도 미치지 못할 압도적인 열량이 담겨 있었다.

글렌의 빈약한 마력으로는 단 하나조차 막을 수 없으리라.

"잘 가."

"헉?!"

마왕이 손을 내리자 그 수백 개의 화염창이 글렌을 향해 쇄도했다.

마치 유성군처럼 진홍색 선을 그리며 다가오는 화염창들 앞에서 글렌은 피할 수도, 막을 수도 없었다.

"우, 우오오오오오?!"

'벌써 사망?!'

글렌이 죽음을 각오한 순간.

"카아아아아아아아아아아아아아아앗!"

옆에서 내뿜어진 르 실바의 【얼어붙는 입김】(배니싱 포스)이 아슬아슬하게 화염창들을 일제히 지워버렸다.

"아……!"

"글렌! 당신, 앞으로 너무 나왔어! 좀 더 물러나!"

르 실바는 그런 글렌의 옆을 지나며 마왕을 향해 돌진했다.

철컥 소리를 내며 튀어나온 흉악한 손톱을 빛내며 눈으로 따라잡을 수조차 없는 엄청난 속도로 마왕의 품속에 뛰어든 순간.

"하아아아아아아아아아아아아아아앗!"

그 가냘픈 팔을 휘둘러서 마왕의 몸을 상, 중, 하로 난도질했다. 공간조차 베어버릴 듯한 용의 기운이 마왕을 엄습

한 것이다.

"나 원, 과연 용인가. ……네 파워는 참으로 성가셔."

하지만 마왕은 그 공격을 슬쩍슬쩍 피해버렸다.

"……세리카!"

르 실바가 연속 공격을 날리며 외친 순간.

"그래, 간다!"

주문 영창을 마친 세리카가 왼손을 앞으로 내밀었다.

그러자 그 손바닥 앞에서 단숨에 세 개의 마술법진이 전개되고 겹쳐지더니 무시무시한 속도로 마력을 충전해 발사했다.

극대극광의 충격파가 마왕을 향해 방출된 것이다.

글렌은 한눈에 알 수 있었다.

방금 세리카가 사용한 마술이 흑마 개량형【익스팅션 레이】를 하이 룬으로 새로 짠 에인션트임을. 아니, 어쩌면 이쪽이 원래의 형태일 수도 있으리라.

명명하자면 에인션트【익스팅션 노바】.

시야 전체를, 세상 전체를 새하얗게 타오르는 극광으로 유린하는, 그야말로 인간이 이루어낼 수 있는 최강의 필멸 신살주문을…….

"……아무래도 이건 맞기 싫은걸."

마왕은 눈앞에 마력장벽을 전개해서 간단히 흘려버렸다.

하지만 당연히 그게 끝이 아니었다.

세리카는 바로 다음 주문을 영창하며 수인을 맺었다.

마왕도 다음 주문을 영창하며 눈앞에 마술법진을 그렸다.

그러자 마왕의 머리 위에서 수없이 많은 운석이 떨어졌고, 세리카의 손에서 펼쳐진 초고열의 프로미넌스가 뱀처럼 구불거리며 그것들을 모조리 불태웠다.

이어서 세리카가 중력으로 마왕의 몸을 짓뭉개려 했지만, 마왕은 공간을 조작해서 그 자리를 이탈했다.

세리카도 시간을 조작해서 마왕을 추격했고, 마왕이 절대 영도의 빙결지옥으로 세상 전체를 얼려버리려 한 순간.

"하아아아아아아아아아아아아아아아앗!"

난입한 르 실바가 마왕을 몰아붙이기 시작했다.

그녀의 가느다란 팔이 마왕이 전개한 빙결지옥을 두 쪽으로 가르며 마왕의 목을 노리고 짓쳐들었다.

그러자 마왕은 어쩔 수 없이 지팡이를 빼들고 그녀의 발톱을 막았다.

지팡이와 발톱이 충돌한 순간, 막대한 충격과 불똥이 단속적으로 튀었다.

여파로 발생한 충격파가 차원 끝까지 날아가 공간을 뒤틀었다.

이어서 세리카가 바로 다음 주문을 영창했고, 마왕도 르 실바의 공격을 막으며 똑같이 주문을 영창했다.

세리카가 날린 무한한 열량의 화염구.

마왕이 날린 절대영도의 냉기.

두 신비가 격돌하자 상반되는 극대 에너지가 허수가 되어 시간과 공간을 뒤흔들었다.

그런 차원이 다른 영역의 전투를 지켜본 글렌은 이를 악물 수밖에 없었다.

"제길…… 저 녀석들의 싸움은 차원이 달라! 당연하지만, 내가 제일 약해! 아무것도 할 수가 없어!"

결국 마왕과 제대로 싸울 수 있는 건 세리카와 르 실바뿐이었다.

글렌도 여태까지의 싸움을 통해 전투기술과 경험을 쌓아 왔지만, 그럼에도 압도적으로 실력이 미치지 못했다. 남루스의 《아르스 마그나》의 지원을 받아도 한참 부족했다.

근본적으로 그가 지닌 카드가 너무 약하기 때문이다.

아무리 교묘한 속임수를 쓸 수 있어도 상대가 늘 로열 스트레이트 플러시를 낼 수 있다면 승부가 성립되지 않는 것처럼 글렌은 저 싸움에 끼어들 수조차 없었다.

옆으로 슬쩍 시선을 돌리자 이 시간과 공간이 힘겨루기를 하는 이차원 공간 너머에서는 시스티나와 실 비사가 싸우고 있었다.

그녀들의 싸움도 완전히 차원이 다른 수준이라 글렌의 잔재주로는 도저히 따라갈 수가 없었다.

어렴풋이 깨닫고는 있었지만, 이 싸움에서 그가 할 수 있는 일은 아무것도 없었던 것이다.

"아니야, 글렌."

그러자 남루스가 다가오며 말했다.

힘을 계속 해방한 상태인 그녀는 시시각각 존재가 사라지는 중이었다.

"당신은 아무것도 할 수 없는 게 아냐. **아무것도 못 하게 된 것뿐이지.**"

"……!"

"확실히 당신의 마술사로서의 역량은 대체 왜 여기 있는지 의문일 정도로 낮아. 그건 사실이야. 그런데도 지금 마왕이 가장 경계하는 건 분명 당신. 당신에겐 아세로 이엘로를 소멸시킨 정체를 파악할 수 없는 **그 기술**이 있으니까."

글렌은 반사적으로 손에 든 마총 《페네트레이터》의 그립을 강하게 쥐었다.

"그 정체불명의 기술이 마왕에 통할 수 있을지는 몰라. 하지만…… 설마 마왕도 이 상황에서 굳이 그걸 시험해볼 이유는 없잖아?"

"그래. 어째 나만 절대로 접근을 허용하지 않는다 싶더군. 젠장. 저렇게 경계하고 있으면 이걸 맞히는 건 무슨 수를 써도 불가능해……!"

애당초 그의 비장의 수는 기본적으로 전부 「초견살(初見殺)」이다.

글렌의 마도 안에서 이미 【광대의 세계】와 【페네트레이터】를 사용하고 말았다. 그 정보가 마도의 관리자인 마왕에게 가지 않을 리가 없었다.

그러니 그 기술들의 존재를 들킨 시점에서 이미 자신의 강점을 크게 상실한 것이다.

"하지만 마왕의 주의가 백분의 일이라도 당신에게 기운 것만으로도, 세리카와 르 실바에게는 최고의 지원이야. 당신이 여기 있는 덕분에 역량 차로 단숨에 밀릴 뻔했던 전황이 간신히 호각을 이루고 있는 거야. ……이건 그런 싸움이라구."

"……제길. 그래도 답답해서 견딜 수가 없어!"

직접 할 수 있는 건 아무것도 없는 자신의 약함이 저주스러웠다.

하지만 그럼에도 글렌은 자신의 역할을 완수하기 위해 멀리서 마왕의 사각을 노리고 달렸다.

"《사나운 뇌제여 · 극광의 섬창으로 · 꿰뚫어라》!"

그리고 결코 통하지 않을 주문을 계속 퍼부었다.

————.

"하아아아아아아아아앗!"

"흐읍!"

시스티나의 바람과 실 비사의 바람이 주도권을 다투며 격돌했다.

흑마 개량형 【스톰 그래스퍼】를 전개한 시스티나.

외우주의 사신 《풍신 이타콰》의 일부를 한정적으로 소환해서 사역하는 실 비사.

하지만 기이하게도 그녀들의 마술특성은 「그 자리의 모든 바람을 지배하고 조종한다」라는 거의 동일한 개념이었다.

그렇다면 승부가 판가름 나는 요인은 지극히 단순했다.

더 강한 바람을 지배하는 것.

"꺄아아아아아아아아아아악!"

압도적인 폭풍을 채 버티지 못한 시스티나가 무한한 하늘 너머로 날아갔다.

전후좌우, 사방팔방, 모든 각도에서 동시에 날아드는 무지막지한 바람이 그녀의 몸을 마구잡이로 뒤흔들자 세상이 빙글빙글 어지럽게 돌았다.

필사적으로 마력을 짜내서 바람으로 몸을 지키지 않았다면 이미 갈린 고기처럼 되었으리라.

'저, 저 사람의 바람은 대체 뭐야? 이게 정말 바람이라구?!'

시스티나는 회전하는 시야 속에서 필사적으로 의식을 붙들고 생각했다.

'이건…… 적성 존재를 강제적으로 멀리 밀어버리는 법칙이나 마찬가지잖아!'

이길 수 없다. 이길 수 있을 리가 없었다.

아직 마음은 굴복하지 않았지만, 피아의 역량 차가 너무나도 큰 탓에 전혀 활로가 보이지 않았다.

엉망이 된 사고 속에서 그렇게 시스티나가 필사적으로 생각한 순간.

"시스티나. 당신은 바람에 대한 상상력이 빈약해요."

갑자기 그런 목소리가 들렸다.

고속으로 격렬하게 회전하느라 정확하지는 않지만, 가끔실 비사의 모습이 시야에 들어왔다.

아무래도 무한한 저편으로 날아간 자신을 실 비사도 같은 바람을 두른 채 따라온 모양이었다.

"당신은 바람을 그저 「기압 차로 공기가 움직이는 흔해빠진 물리현상」이라 여기고 있어요. 그런 빈약한 바람으로는 절대로 절 이길 수 없습니다."

"아……!"

"좀 더 자유롭게 상상하세요. 바람의 본질이란 떨어진 두 지점간 물질의 이동. 즉, 바람을 조종한다는 건 만물유전의 가속과 지배인 겁니다. 그것이야말로 마술의 진수잖아요? 공기의 흐름은 그런 바람의 말단현상의 하나에 불과해요. 더 상상력을 발휘해보세요. 바람 마술은 약하다는 시시한 기존 개념 따윈 잊어버리는 겁니다. 당신은 깨달아야 해요. 바람이야말로 세계 최강의 마술속성이라는 사실을!"

"그, 그런 터무니없는 일이 가능할 리가⋯⋯!"

시스티나는 필사적으로 호소했다.

"가능해요. 당신이라면 분명."

하지만 실 비사는 어째선지 그런 그녀를 격려했다.

"⋯⋯?!"

"마술이란 스스로의 마음을 알아가는 것. 스스로의 마음에 의문을 던지는 것. 상상력을 발휘하세요. 그것이 당신의 힘이 될 겁니다. 그리고 그 상상을 실현하는데 부족한 건⋯⋯ 당신에게 맡긴 그 외투가 빌려주겠지요."

"⋯⋯예?!"

시스티나가 눈을 크게 뜨자, 갑자기 흰 망토에 빛이 깃들기 시작했다.

표면에 빛나는 고대 룬 문자가 가득 떠오르며 빛나기 시작했다.

"아, 아, 아아아아아아아앗?!"

그리고 갑자기 머릿속에 대량의 정보가 봇물처럼 밀려들어왔다.

그것은 바람 마술에 관한 막대한 지식이었다.

어느 일족이 몇 대에 걸쳐서 쌓아올린 바람 마술.

그 심오한 진리에 관한 막대한 경험치가 시스티나의 머릿속에 단숨에 흘러들어온 것이다.

"그건 《바람의 외투》⋯⋯ 우리 일족 **피벨 가문**이 아득히 먼 고대부터 쌓아온 신비와 오의의 집대성입니다. 계약에 의거해 당신이 알고 싶은 지식은 그 외투가 전부 가르쳐줄 겁니다.”

“……?!”

“하지만 지식은 도구에 불과합니다. 그 도구로 뭔가를 이룰 수 있는 건 당신의 능력. 자, 상상력을 발휘하세요. 기존의 개념을 버리고 자신의 새로운 바람을 창조하는 겁니다!”

‘상상력을…… 발휘해라……!’

엉망이 된 사고 속에서 시스티나는 필사적으로 상상하며 창조했다.

실 비사는 바람이 그저 공기가 움직일 뿐인 물리현상이 아니라고 말했다.

그렇다면 중요한 건 분명 조금 더 개념적인 것이리라.

세상의 섭리를 비틀면서까지 자신이 원하는 바를 이루려 하는 마술의 근원적인 본질을 향한 물음.

즉, 그 바람을 무엇을 위해 창조하느냐. 그 바람으로 무엇을 해내느냐. 이루느냐.

‘……’

누구에게도 지지 않는 강한 바람.

모든 부조리를 날려버릴 수 있는 최강의 바람.

한없이, 한없이 먼 저편까지 닿는 바람.

만약 그런 바람이 있다면 언제나 자신들을 위해 끝없이

앞을 달려왔던 **그 사람**의 등을 따라잡을 수 있지 않을까. 지켜줄 수 있지 않을까.

'……!'

이미지가 정해지면 그 후는 간단했다.

외투가 주는 지식을 써서 기존 마술식을 파괴하고 새로운 식을 재구축한다.

본인도 두려울 정도로 머릿속에서는 수천, 수만 개의 마술함수가 아무렇지 않게 나열되고 헤아릴 수 없는 수의 법진이 그려지고 뒤얽히며 지금까지 배운 모든 마술식이 재편되었다.

그건 결코 즉흥으로 만든 정밀도가 떨어지는 식이 아니었다.

지금까지 그녀가 필사적으로 노력과 단련을 거듭했기에 가능한, 도달할 수 있는 하나의 경지. 마술사로서의 집대성.

재구축에 걸린 시간은 고작 1분에 가까웠지만, 실제로는 지금까지의 인생 십수 년을 집약해서 만든 지고의 마술식이었다.

"《나를 따르라·구풍(颶風)의 백성이여…….》"

시스티나는 눈을 부릅뜨고 주문을 영창했다.

그러자 외투와 전신에서 막대한 마력이 온몸을 불사를 듯한 기세로 상승했다.

"나는 바람을 모아 다스리는 여왕일지니》!"

시스티나의 바람이 변했다.

조금 전처럼 공기의 흐름을 다룰 뿐인 물리현상과 달랐다.

아름다운 녹색으로 빛나는 빛의 바람이 전신에서 타오르는 마력을 통해 무한히 생성되고 퍼져서 실 비사의 검은 바람을 밀어냈다.

바람간의 주도권 다툼으로 공간이 찌부러지는 충격이 세계를 뒤흔들었다.

바람은 그렇게 무한세계의 무한 저 너머까지 퍼져나가고 있었다.

"성공이야!"

몸을 빙글 회전하며 자세를 바로잡은 시스티나는 실 비사를 정면으로 응시했다.

"지금 이 마술에 이름을 붙인다면 흑마 개량3식…… 아니."

그리고 머릿속에 불현듯 떠오른 가장 어울리는 언령을 외쳤다.

"풍천신비(風天神秘)【CLOAK OF WIND】……!"

두 사람의 바람이 격렬하게 힘겨루기를 하며 호각을 이룬 공간 속에서 시스티나는 방금 자신이 도달한 신비의 극치를 그렇게 명명했다.

"그렇군요. ……이 위기 상황에서 그 **하늘**의 영역에 도달한 겁니까."

마인화한 탓에 실 비사의 표정은 알 수 없었다.

"이건 만만치 않겠네요. ……참 곤란해요."

하지만 말하는 것과 반대로 그 목소리에서는 숨길 수 없는 기쁨이 묻어나왔다.

"솔직히 조금 전까지의 당신은 너무 약해서 싸움이 성립되지 않았지만…… 이걸로 겨우 조금은 즐길 수 있을 것 같네요! 아하하하하!"

실 비사는 두 팔을 머리 위로 치켜들었다.

어딜 가든 따라오는 머리 위의 공간 균열과 거기서 이쪽을 들여다보는 강대한 존재에게 명령했다.

그러자 새로운 검은 바람이 마치 시스티나의 존재를 부정하겠다는 것처럼 폭발적으로 늘어났다.

"저기, 실 비사 씨."

하지만 시스티나는 왠지 슬퍼 보였다.

"뭐죠?"

"저희는…… 반드시 꼭 싸워야만 하나요?"

"……."

몸에 두른 빛의 바람으로 검은 바람을 밀어내는 그녀의 얼굴에서는 애달픔이 묻어나고 있었다.

"저는 당신이 도저히 쓰러트려야만 하는 적으로 느껴지지 않아요."

세찬 파공음이 그녀의 목소리를 담았다.

"끈질기네요."

하지만 실 비사는 가볍게 웃어넘겼다.

"저는 티투스 님께 영원한 충성을 맹세한 백세불마(百世不磨), 극악무도한 마장성. 왕에게 이를 드러낸 어리석은 백성은 모조리 처단할…… 뿐입니다."

"……!"

시스티나는 이를 악물었다.

그런 그녀를 향해 실 비사는 가차 없이 검은 바람을 날렸다.

시스티나를 **앞뒤**로 눌러 터트리겠다는 듯 강대한 폭력이 행사되었다.

"하앗!"

시스티나도 어쩔 수 없이 왼손을 앞으로 내밀고 마력을 전개했다.

세차게 나부끼는 하얀 외투 표면에서는 수많은 고대 룬이 물결처럼 흘렀다.

그리고 새로 생성한 빛의 바람을 검은 바람을 향해 날렸다.

공간이 뒤틀리는 듯한 충격음과 폭음.

바람의 충격파가 사방팔방으로 세차게 휘몰아쳤다.

―――――.

세리카 일행과 마왕의 싸움이 계속되었다.

시스티나와 실 비사의 싸움도.

두 개의 한정결계가 주도권을 다투는 공간과 그 주위는

시간의 흐름조차 일정치 않았다.

천공성 밖에서는 해가 저물고, 밤이 찾아오고, 심야가 되고, 날이 바뀌는 등 어지럽게 시간이 흘러가고 있었다.

그런 뒤틀린 시간의 흐름 속에서 세리카 일행은 상식을 완전히 벗어난 싸움을 계속 이어가고 있었다.

————.

"하아아아아앗!"

르 실바가 마왕에게 달려들었다.

"흡!"

하지만 곧 마왕이 눈앞에서 일으킨 막대한 폭발이 그녀를 날려버리며 세계를 뒤흔들었다.

"뒈져!"

그리고 이번에는 세리카가 돌격했다.

대체 어떤 마술인지 모르겠지만, 압도적인 빛으로 이루어진 초거대한 검을 양손으로 들고 있는 그녀는 달리는 기세를 실어 아래로 내리쳤다.

그러자 그 빛의 검이 무한대로 길어지더니 공간 그 자체를 양단하겠다는 듯 저 멀리까지 질주했다.

하지만 그 순간 마왕의 눈앞에는 수백 장의 방어 결계가 전개되었다.

단 한 장으로 【메기도의 불】 수백 발을 완전히 차단할 수 있는 결계였지만, 세리카의 빛의 검은 그중 몇 장을 유리처럼 깨트렸다.

하지만 마왕에게 닿기에는 너무나도 멀었다.

"우오오오오오오오!"

그래도 세리카는 집요하게 빛의 검을 휘둘러서 방어 결계를 계속 몇 장씩 파괴했다.

자신의 방어 결계가 점점 파괴되고 있음에도 마왕은 여유 있게 웃으며 세리카를 비웃었다.

"필사적이네? 세리카."

"아아아아아아아아아아악!"

세리카는 무시하고 계속 검을 휘둘러서 마왕의 방어 결계를 파괴했다.

결계가 깨질 때마다 엄청난 빛이 터지며 유리조각 같은 결계 파편이 수억 광년 너머의 은하로 흩어졌다.

"신나게 부수는 와중에 미안하지만…… 넌 약해."

세리카는 무시하고 계속 검을 휘두르며 앞으로 나아갔다.

"거봐. 벌써 숨이 턱밑까지 찼잖아. 전투가 시작된 지 얼마 지나지도 않았는데 말야."

세리카는 무시하고 계속 검을 휘둘러서 결계를 파괴했다.

조금씩이지만 확실히 앞으로 나아가고 있었다.

"사흘 전에 싸웠을 때보다 훨씬 약해. 차원에서 추방당한 네가 어떻게 귀환한 건지는 모르겠는데 말야? 역시 여러모로 무리했던 거 아냐?"

세리카는 무시하고 계속 검을 휘둘렀다. 휘두르면서 전진했다.

"저기, 정말 날 이길 수 있다고 생각해?"

세리카는 무시하고 검을 옆으로 휘둘렀다.

"그야 대충 딱 봐도 넌 이미 한계잖아. 그렇게 너덜너덜해지고, 피도 토하고."

세리카는 무시하고 검을 후려쳤다.

"그렇게 네 나라를 멸망시킨 내가 미워? 네 동생을 빼앗은 네가 미워? 응?"

세리카는 무시하고 전력으로 검을 내리쳤다. 결계를 하염없이 파괴하며 전진했다.

"아하하, 그 집념은 훌륭해. 음~ 아무래 약해진 적이라지만 너 정도 마술사를 잃는 건 역시 아깝단 말이지……."

남은 결계는 열, 아홉, 여덟, 일곱.

"하아아아아아아아아아아아아아아아아아앗!"

이제 라스트스퍼트라는 듯 세리카는 마력을 퍼부어서 길어진 빛의 검을 마왕을 향해 계속해서 휘둘렀다.

"그런 너한테 제안이 있는데 말야."

남은 결계는 여섯, 다섯.

"너, 내 동료가 되지 않을래?"

남은 결계는 넷. 셋.

"난 너 같은 마술사가 나타나는 걸 기다리고 있었어. 만약 내 동료가 된다면 세상의 절반을 너에게 줄게."

남은 결계는 둘. 하나.

"어때? 내 동료가 되는 건?"

마왕이 그렇게 물었지만.

"죽어!"

세리카는 전력을 다한 참격으로 대답했다.

마지막 결계와 함께 베어버리겠다는 듯 마왕을 향해 검을 내리쳤다.

"훗, 어리석은 놈. 네 주제를 알아라."

하지만 마왕은 공간을 뒤틀어서 멀어졌다.

그렇게 세리카의 공격이 허무하게 허공을 갈랐고, 전투의 흐름이 끊어졌다.

"어때? 아하하, 한 번쯤 해보고 싶었거든. 이 문답. 내가 원래 있었던 세계에서는 꽤 잘 알려진 전형적인 대사였는데 말야."

"헉······! 헉······! 헉······!"

세리카는 대답할 여유도 없이 한쪽 무릎을 꿇고 말았다.

"세리카! 너, 괜찮은 거야?!"

"왜 이런 무모한 짓을······!"

글렌과 르 실바가 곁으로 달려왔지만, 본인은 대답할 여력도 없는지 거칠게 숨을 몰아쉬며 어깨를 덜덜 떨었다.

"꼴사납네. 전부터 생각한 거지만 난 널 전혀 이해 못 하겠어. 왜 그렇게까지 나한테 반항하는 거지? 복수치곤 너무 도가 지나치지 않아?"

"닥쳐."

세리카가 지옥에서 울리는 듯한 목소리로 마왕의 말을 끊었다.

"이제 복수 따윈 아무래도 상관없어. 그저 널 쳐죽이고 싶을 뿐."

"곤란한 사람이네. 하지만 그렇게 약해진 네가 대체 뭘 할 수 있는데? 자, 이걸 봐."

그러자 공간이 갈라지며 한층 더 거센 전격이 세상을 질주했다.

"세리카. 넌 이미 한계야."

마왕이 그렇게 선언한 순간, 마왕의 공천신비【INFINITE ZERO DRIVE】가 세리카가 전개한 시천신비【OVER CHRONO ACCEL】를 침식하기 시작했다.

격자 모양의 세계가 시계 모양 세계를 서서히 밀어냈고, 그 침식은 멈출 기미를 보이지 않았다.

"세……세리카?!"

"크, 큰일이야! 이대로 한정결계가 완전히 밀려버리면 더는 손쓸 방법이 없어!"

글렌과 남루스가 간절한 표정으로 세리카를 돌아보았지만, 당사자는 괴롭게 떨면서 무력하게 숨을 몰아쉬고 가끔 피를 토하며 몸을 웅크릴 뿐이었다.

다시 일어설 낌새는 전혀 느껴지지 않았다.

"아하하하하! 이제 끝난 거구나! 응, 역시 전보다 훨씬 약했어! 아하하하하! 아하! 아하하하하!"

무한한 저편에선 마왕이 손뼉을 치며 어린애처럼 기뻐했다.

"제기랄! 여기까지인 거야?! 이젠 다 틀린 거냐고!"

글렌이 이를 악물며 불안한 눈으로 속수무책으로 침식되는 결계를 지켜본 순간, 괴로워하던 세리카가 갑자기 일어났다.

"괜찮아."

그녀는 입가를 타고 흐르는 피를 오른손 엄지로 훔치고 붕괴해가는 세계 속에서 마왕을 향해 천천히 걸음을 옮겼다.

"마왕."

"왜?"

"넌…… 지금 내가 약하다고 했지?"

"그랬지."

"정말 그렇게 보여? 지금의 내가 약해 보이냐고."

"그래, 보여. 실제로 전성기의 너와는 비교도 할 수 없었어."

"그런가. 그럼……."

세리카는 마왕에게 똑똑히 보라는 듯 왼손 손등에 오른손 엄지로 혈문자를 그렸다.

"네 눈은…… 장식이다."

그 순간.

왼손 손등에 그린 혈문자가 타오르며 복잡기괴한 마술법진이 세리카의 발밑에서부터 세상 끝까지 단숨에 전개되었다.

그리고 거기에 마력이 주입되자 마왕의 【INFINITE ZERO DRIVE】의 침식이 멈추었다.

세리카의 【OVER CHRONO ACCEL】이 다시 마왕의 세계를 밀어내기 시작한 것이다.

"……연장전이다, 마왕."

"앗……! 그건…… 명천신비(命天神秘) 【SOUL SONG SACRIFICE】?!"

"그래, 백마의(白魔儀) 【새크리파이스】의 본래 형태…… 가장 원초의 환혼(換魂) 의식마술이지! 나 자신의 영혼을 깎아서 무한한 마력으로 전환하는 최후의 수단이다!"

세리카의 그 말을 들은 순간.

"이 바보가?! 세리카, 너, 대체 무슨 짓을 하는 거야! 죽을 셈이야!?"

글렌이 절규했다.

"멈춰! 어서 그 마술을 해제해! 멈추라고!"

글렌이 세리카를 붙잡으려 했지만, 르 실바는 씁쓸한 표정으로 그런 그의 양팔을 뒤에서 단단히 붙들었다.

"제길! 놔! 이거 놓으라고오오오오오오오!"

글렌이 날뛰었지만, 인외의 괴력 앞에서는 부질없었다.

"······이럴 수가, 세리카······."

한편, 마왕도 아연실색할 수밖에 없었다.

"네가 지금 대체 무슨 짓을 했는지 알기나 해?"

"······."

"죽을 거야, 너. 틀림없이 죽어."

"······."

"뭐, 그럴 리는 없겠지만 혹시 기적적으로 일이 잘 풀려서······ 네가 죽기 전에 날 쓰러트린다고 치자. 그래도 마술사로서의 넌 틀림없이 끝이야. 영혼에 그만한 대미지를 입은 넌 이제 두 번 다시 마술을 쓸 수 없게 돼. 거의 수백 년에 걸쳐서 쌓은 네 마술사로서의 모든 것이 무로 돌아가는 거라고? 아깝지 않아? 분하지도 않아?"

"······."

"대체 왜? 뭐가 널 그렇게까지 하게 만든 거지? 그 정도로······ 내가 미운 거야? 네 마술사로서의 존재를 전부 무로 돌리면서까지······ 날 죽이고 싶은 거야? 그것도 거의 소용이 없을 텐데도? 난 널 도저히 이해할 수 없어!"

"······넌 근본적인 부분이 어긋났어."

세리카는 그런 식으로 동요하는 마왕이 우습다는 듯 코웃음을 쳤다.

"글렌."

그리고 등을 돌린 채 글렌에게 말을 걸었다.

"……고맙다."

"뭐야. ……대체 지금 왜 그런 소릴 하는 건데?"

"네가 여기 있어준 덕분에…… 네가 지켜봐준 덕분에……
난 망설임 없이 이 비장의 수를 쓸 수 있었어. 만약 네가 없
었다면…… 난 계속 망설이고 질질 끌다가…… 그대로 아무
것도 못 한 채 살해당했겠지."

"웃기지 마아아아아아아아아아아아아아아!"

글렌이 울부짖었다.

"난! 네가 그런 웃기지도 않은 마술을 쓰게 하려고! 일부
러 이런 빌어먹을 시대까지 널 쫓아온 게 아니라고!"

"하하하, 그야 그렇겠지. 미안. ……하지만 이것밖에 방법
이 없어."

세리카는 장난스럽게 어깨를 으쓱였다.

"길었어. ……정말 길고 긴 여행이었지. ……그런 긴 여로
끝에 난 마침내 내 진실…… 싸워야 하는 이유를 찾을 수
있었어. 지키고 싶은 게 있다는 건…… 지켜야 할 게 있다는
건 무척 행복한 일이야. 그걸 생각하면 자연스럽게 몸속에
서 힘과 용기가 샘솟아. 몇 번이고 다시 일어나서 싸울 수
있을 것 같은 기분이 들어. ……그래, 이젠 아무것도 두렵지
않아."

"세리카……! 세리카……! 그만둬, 제발!"

글렌이 말리는 것도 듣지 않고 세리카는 뜨겁게 타오르는 영혼에 몸을 맡긴 채 마왕을 향해 달려갔다.

"자, 각오해라! 마왕! 난 널 쓰러트리고…… 세계를 지키겠어!"

그리고 천지신명을 통곡하게 만든 두 마술사의 마지막 싸움이 시작되었다.

────.

그곳은 우주개벽을 방불케 하는 상식을 벗어난 공간이었다.

세리카와 마왕이 서로 전력으로 마술을 쓰고 있었다.

무한한 공간에서 막대한 힘이 수백 수천 번 충돌하며 화려하게 명멸했다.

힘겨루기를 하는 시간과 공간.

빛조차 따라잡을 수 없는 신의 영역에 들어선 싸움이 그곳에 존재했다.

"이런 막다른 상황에서…… 세리카는 마술사로서의 위계가 한 단계 오른 모양이네."

남루스가 중얼거렸다.

"……그리고 마왕도."

"응. 이젠 나도 저 싸움엔 개입할 수 없어. 이제 뒷일은……

세리카에게 전부 맡길 수밖에."

글렌을 제압한 르 실바가 원통한 듯 앓는 소리를 냈다.

"하지만 저런 전투 방식이 오래 유지될 리가 없어!"

남루스도 이를 악물며 말했다.

"기껏해야 10분! 세리카의 영혼이 완전히 타서 소멸해버릴 때까지 10분! 그때까지 마왕을 쓰러트리지 못한다면 세리카는……."

"젠장! 세리카! 세리카아아아아아아아아아아아!"

"적당히 좀 해!"

글렌이 눈물을 글썽이며 악을 쓰자, 르 실바가 귓가에 고함을 질렀다.

"세리카가 대체 뭘 위해 자기 영혼을 깎아가면서까지 싸우는지 알고는 있는 거야?! 당신을…… 당신들의 미래를 지키기 위해서잖아!"

"……?!"

"근데 언제까지 애처럼 떼를 쓰고 있을 건데! 당신은 세리카의 제자잖아?! 그럼 적어도 당신만은 세리카의 각오를 의연하게 지켜봐줘야지!"

"……."

르 실바의 정론에 글렌은 입을 다물 수밖에 없었다.

"……너…… 방금 뭐라고 했지?"

하지만 그는 곧 명한 목소리로 되물었다.

"응? 아니, 그러니까…… 적어도 당신만은 세리카의 각오를……."

"그래! 맞아! **난 세리카의 제자야!**"

하지만 르 실바의 말을 무시한 글렌은 혼자 답을 찾아내더니 생각에 잠겼다.

"난 저 녀석에게 이런 건 배운 적 없어! 궁지에 몰렸다고 울부짖으면서 손가락 물고 지켜보기만 하라는 말은 단 한 번도 들은 적 없다고!"

남루스와 얼굴을 마주보고 멍하니 있는 르 실바의 팔을 뿌리친 글렌은 한쪽 무릎을 꿇고 발밑을 조사했다.

"생각해! 마술사라면 이럴 때일수록 생각하는 거야! 그럼 어떻게 해야 세리카의 싸움에 공헌할 수 있지? 지금의 내가 대체 뭘 할 수 있지?"

마지막 수단을 꺼낸 세리카는 엄격한 시간제한이 붙긴 했어도 간신히 마왕과 호각을 이룰 수 있었다. 그렇다면 이 상태를 무너트리려면 어떻게 해야 좋을까?

'예를 들면 이 싸움의 대전제이자 이 전투 공간의 절대적인 규칙…… 마왕의 【INFINITE ZERO DRIVE】와 세리카의 【OVER CHRONO ACCEL】의 균형을 무너트릴 수 있다면 어떨까?'

그렇다. 세리카와 마왕의 싸움이 너무나도 높은 영역에 존재하다 보니 어느새 깜빡했지만, 원래는 이 두 마술 중

한쪽이 완전히 이 공간을 지배하면 이기는 구조였다.

'예를 들면 내가 세리카의 이 【OVER CHRONO ACCEL】
에 마술로 개입해서 위력을 올려줄 수 있다면……? 호각 상태
인 이 공간을 완전히 세리카의 지배하에 둘 수 있다면……?'

틀림없이 세리카는 마왕을 이길 수 있으리라.

마왕의 기량과 마력 총량이 세리카보다 훨씬 위여도 상관
없다.

시천신비 【OVER CHRONO ACCEL】이란 그런 성질의
마술이므로.

'하지만…… 내가 정말 할 수 있을까?'

글렌은 【OVER CHRONO ACCEL】의 술식에 접속했다.

언뜻 봐도 막대하고 복잡기괴한 초고등 마술식이 무한히
나열되어 있었다. 잠깐 보기만 한 건데도 정보량이 한계를
넘어서 뇌가 타버릴 것만 같았다.

게다가 사용된 언어는 하이 룬.

글렌과 시스티나가 쓰는 하위 룬과는 규격부터 다른 난해
한 마술언어였다.

'남루스의 《아르스 마그나》가 있으면 우리도 하이 룬을 쓸
수 있는 건 이미 검증됐어. 문제는…… 내가 이 마술식을
완전히 해독할 수 있느냐야!'

잠깐 보기만 했는데도 부정적인 단어가 머릿속을 맴돌았다.

무리. 불가능. 시간 낭비. 감당 불가.

하지만 글렌은 그런 약한 생각이 드는 걸 무시하고 마술식을 마주보았다.

'그래도…… 해보는 거야! 아니, 이 세상에서 그게 가능한 건 인간이 있다면…… 그건 나밖에 없어!'

어릴 때부터 항상 세리카를 동경했다.

지금까지 쭉 그녀의 등을 보고 쫓아왔다.

세리카의 마술을 계속 지켜봐왔다.

마음속 한편에서는 자신은 절대 도달할 수 없다고 체념하면서도 글렌은 순수한 동경심 하나만으로 세리카라는 마술사를 계속 지금까지 지켜봐왔던 것이다.

'그 녀석의 가르침은 전부 이 몸에 새겼어! 그 녀석은 논문도 전부 읽었어! 그걸 전부 내 것으로 승화했느냐는 별개로 치고…… 이 세상에서 세리카의 마술을 가장 잘 아는 건 나야! 세리카와 가장 가까운 마술사는…… 나야! 바로 나라고! 이것만큼은 누구에게도 양보 못 해!'

그러하기에.

'해내고 말겠어! 세리카의 【OVER CHRONO ACCEL】을…… 내가 반드시 전부 파악하고 말겠어! 해보는 수밖에……!'

마술사로서의 모든 지식과 긍지를 건 글렌만의 최종 결전이 시작되었다.

—————.

"하아아아아아아아아아아아아앗!"

"윽!"

시스티나와 실 비사의 싸움의 끝은 너무나도 갑작스럽게 찾아왔다.

아니, 정확히는 실 비사가 스스로 막을 내린 것이다.

그녀는 어째선지 항상 시스티나와 호각인 상태를 유지했다.

아마 처음부터 진심으로 싸웠다면 시스티나는 이미 이 세상에 머리카락 하나조차 남기지 못하고 소멸했을 터.

하지만 실 비사는 그렇게 하지 않았다.

마치 시스티나를 시험하듯 조금씩 실력을 드러낸 것이다.

시스티나는 거기에 필사적으로 따라붙었다.

양도받은 《바람의 외투》의 힘을 쓰고 사용법을 익혀갈 때마다 바람 마술의 경지가 상승했다. 실 비사와의 싸움을 통해 급속도로 강해진 것이다.

이제 그녀의 풍천신비 【CLOAK OF WIND】는 임시변통의 기술이 아니었다.

가슴이 떨릴 정도로 연마된, 완성된 하나의 신비였다.

그리고 그 신비를 완성한 순간, 실 비사가 갑자기 싸움의 막을 내리고 말았다.

시스티나가 날린 바람의 차원도(次元刀)를 막지 않고 일부러 받아들인 것으로써.

"쿨럭! 훌륭……해요…… 시스티나……."

존재를 유지하지 못하는 실 비사의 육체가 빛의 입자로
흩어지고 있었다.

사실 시스티나는 이 결말을 어렴풋이 눈치채고 있었다.

이 사람이라면 **분명 이럴 거라고** 예상했었다.

하지만, 그럼에도.

"……어째……서죠?"

시스티나는 죽어가는 실 비사에 그런 질문을 던질 수밖에
없었다.

"……말했잖아요? 이건 제 속죄라고."

사라져가는 실 비사가 온화하게 웃은 듯한 기분이 들었다.

"저는…… 옛 맹약 때문에 티투스 님과 직접적으로 적대
할 수 없답니다. 일족의 안전을 대가로 그런 마술계약을 맺
었거든요……."

"……!"

"제가…… 당신들과 같이 싸울 수는 없어요. 그러니…… 당신
들에게 맡길 수밖에 없었던 겁니다. 제가 할 수 있는 일은……
이제 그 정도밖에 없었으니까요."

그렇게 말하는 그녀의 목소리는 한없이 따스했다.

"후후…… 어째서일까요? 당신을 처음 본 순간, 논리를 초

월한 운명을 느꼈답니다. 당신이라면…… 분명 제 힘과 의지
를 이어받아줄 거라고…….”

“실 비사 씨…….”

“심해 밑바닥보다 깊은 죄를 지은 전 이제 아무것도 할 수
없지만…… 이타콰의 신관으로서 어느 정도 완성된 당신이
라면…… 어쩌면.”

“……!”

“만약…… 제가 당신에게 준 힘으로 미래를 지킬 수 있다
면…… 이런 죄인인 제가 꼴사납게 살아온 이유가…… 조금
은 있었을지도 모르겠네요.”

실 비사의 소멸은 멈추지 않았다. 빛의 입자로 흩어지며
흔적도 없이 사라져가고 있었다.

“안녕히, 시스티나. 마지막에…… 당신을 만나서…… 다
행…….”

그리고 결국 그녀는 완전히 소멸했다.

그 자리에 남은 건 허공에 뜬 「녹색 열쇠」뿐.

하지만 그것도 곧 풍화되어 바람에 쓸려갔다.

《풍황취장》 실 비사.

동화 『멜갈리우스의 마법사』에 따르면 마왕에게 가장 충
성심이 깊었던 마장성. 마왕을 위해서라면 그 어떤 잔혹한
짓도 서슴없이 저질렀다 하는 냉혹하고 무자비한 마인.

그런 그녀가 어떤 심정으로, 무슨 생각을 하며 죽었는지

는 이제 누구도 알 수 없으리라.

단 한 명, 실 비사와 같은 머리색을 한 소녀를 제외하고.

"잘 가요, 실 비사 씨. 그리고 고마워요. ……제 아주 먼 조상님."

작게 부는 바람을 향해 고개를 숙여 인사한 시스티나는 머리 위를 올려다보았다.

하늘 한가득 세리카와 마왕이 전개한 공간과 시간의 이차원 공간은 이미 인간이 절대로 발을 들일 수 없는 마계였다.

하지만 지금의 시스티나라면 그 영역에 끼어들 수 있으리라.

"나는 자유로운 바람. 모든 시간과 공간을 넘어서 부는 한 줄기 바람. ……내 앞을 가로막을 수 있는 건 아무것도 없어."

맹렬한 빛의 바람을 두른 시스티나는 하늘 위의 전장을 향해 일직선으로 날아올랐다.

————.

난해하다는 말로는 표현할 수 없는 난해함.

한정된 시간.

보기만 해도 마음이 꺾일 것 같은 무한한 수의 식과 나열.

하지만 동경하는 마술사의 등을 계속 쫓아온 인생과 그 미약한 의지.

글렌은 뒤를 쫓던 스승의 생애 최고 술식을 완벽하게 이해하지는 못했지만, 그 기본골자를 어느 정도 해석하는 데 성공했다.

"……해냈어! 알겠어, 이제 좀 알겠다고!"

기적이었다.

이건 그 어떤 천재 마술사가 와도 불가능했으리라.

단 한 명, 오직 세리카의 뒤를 계속 쫓아온 글렌이기에 가능했던 기적.

세리카라는 마술사에 대한 지식, 극한까지 예리해진 집중력, 인생 최고로 빨라진 두뇌회전이 뒷받침되었기에 비로소 가능했던 위업이었다.

"……가능해! 할 수 있어!"

해석에 성공한 이상 세리카의 술식에 개입할 수 있다.

남루스의 《아르스 마그나》가 있다면 가능하다.

현재 세리카와 마왕의 술식은 완벽한 호각 상태다.

하지만 글렌이 거기에 가세해 세리카의 술식을 강화한다면.

예를 들어 드넓은 바다에 돌멩이를 하나 던진 수준의 도움이라도 상황은 단숨에 세리카 쪽으로 기울게 되리라.

"아니, 잠깐만…… 말도 안 돼. 이럴 수가……!"

하지만 마지막에 와서야 글렌은 **어떤 사실**을 깨닫고 아연실색했다.

술식에서 읽어낸 잔혹한 사실.

'이 권능의 행사는《시간의 천사》라 틸리카의 계약자에게만 허가한다.'

이건 근본적으로 남루스의 권능을 이용한 술식이었던 것이다.

"……다시 말해, 세리카의 오리지널 같은 거였어?! 제길! 하긴 조금만 생각해 보면 당연하잖아!"

즉, 글렌은 이 술식에 개입할 수 없었다. 닿을 수 없었다.

"남루스! 나도 너랑 계약을 맺을 수는 없는 거야?!"

"가능할 리 없잖아! 나와 계약자는 일대일! 다중계약은 룰 위반이라구! 설령 지금 당신과 계약한다 해도 세리카의 계약이 무효가 돼!"

"젠장……! 모처럼 희망이 보였는데……!"

글렌은 고개를 들었다.

"크으으으으으으으으으으으으윽!"

"아하하하하하! 연료가 된 생명도 슬슬 동이 날 때쯤인가?"

거기서는 여전히 세리카와 마왕이 싸우고 있었다.

마왕이 연사로 날린 수백 발의 화염창이 유성군처럼 밝은 꼬리를 그리며 날아오는 것을 세리카도 같은 마술로 모조리 요격했다.

하지만 누가 봐도 세리카 쪽이 불리했다.

고통스러운 표정의 그녀는 당장 밀려도 이상하지 않을 것 같았다.

그리고 더는 시간도 없었다.

"여기까지야? 여기까지인 거냐고!"

결국 글렌도 이 절망적인 현실에 머리를 감싸 쥔 순간.

『……포기하지 마, 글렌.』

갑자기 귀에 익은 목소리가 머릿속에 울렸다.

"남루스?"

"응? 왜?"

틀림없이 남루스의 목소리라 생각해서 돌아봤지만, 본인은 왜 부르냐는 듯한 반응을 보였다.

하지만 환청이라 여겼던 목소리가 다시 한번 울려 퍼졌다.

『그쪽에 있는 내가 아니야. 이쪽의 나…… 당신이 있던 미래의 나야.』

'……남루스?!'

대체 왜? 라고 묻기 전에 미래의 남루스가 입을 열었다.

『설명할 시간도 여유도 없으니 짧게 말할게. 결론부터 말하자면 당신에겐 그 세리카의 술식을 행사할 권한이 있어.』

'뭐?! 그게 무슨 소리야! 나는 라 틸리카의 계약자가……'

『계약은 이미 성립됐어, 마이 마스터.』

'……?!'

『그래. 정말 기묘한 역설이지만…… 당신과 내 계약은 이미 이루어졌어.』

'그, 그게 대체 무슨……!'

『이로써 인과는 하나의 해답을 얻었어. 그러니…… 당신과 나는 다시 연결된 거야. ……고민하지 않아도 돼. 당신은 당신의 영혼이 이끄는 대로 행동하면 돼.』

'남루스!'

다시 미래의 남루스의 목소리가 멀어졌다.

이유는 알 수 없었다. 고민한 시간도 여유도 없었다.

그렇다면 이젠 행동에 나설 뿐이다.

"《시간의 가장 끝에서 떠난 나…….》"

글렌은 마력을 끌어올리며 주문을 영창하기 시작했다.

"앗……?!"

"글렌?!"

그러자 남루스와 르 실바가 경악했다.

"뭐 하는 거야! 그 술식은 세리카밖에 못 쓴다구! 당신은……!"

하지만 글렌은 개의치 않고 빠르게 주문을 내뱉었다.

"《통곡과 소란의 마천루》! 《시간에 이르는 큰 강은 제9의 흑염지옥에 다다르고》! 《그 영혼을 먹어치우는 흑마는 스스로의 죽음을 고한다》! 《나, 육천세계의 혁명자를 자칭하는 자이기에》!"

그 순간.

불온한 마력이 맥동하면서 세계에 다시 새로운 시계 같은 문양의 법진이 전개되더니 세리카의 법진과 포개어졌다.

"어?! 말도 안 돼! 당신이 어떻게 이걸?!"

"남루스! 부족해! 힘을……! 힘을 더 내놔아아아아아아아아아!"

남루스는 반사적으로 최후의 《아르스 마그나》를 해방했다.

온몸에 넘치는 마력과 전능감을 느낀 글렌은 그제야 발동을 선언했다.

"시천신비【OVER CHRONO ACCEL】!"

그리고 세계는…… 새로운 변혁을 맞이했다.

―――.

"아니?!"

그 순간, 지금까지 여유가 넘쳤던 마왕이 눈에 띄게 당황했다.

"이, 이럴 수가……! 그 술식은 세리카의 고유마술이었을 터! 그런데 어떻게 저 남자가……!"

"하아아아아아아아아아아아아아아아앗!"

그 틈을 노리고 마지막 힘을 쥐어짜 낸 세리카는 대주문을 완성했다.

【익스팅션 노바】.

현재 그녀가 쓸 수 있는 최고화력의 극대극광 충격파가 마왕을 향해 일직선으로 뻗어나갔다.

"큭?!"

마왕은 공간을 조종해 극광의 파동을 막았다.

"하아아아아아아아아아아아아아아앗!"

【익스팅션 노바】를 최대 출력으로 방출하는 세리카.

"으으으으으으으으윽?!"

【익스팅션 노바】를 받아내는 마왕.

격렬하게 명멸하는 세계에서 다시 호각 상태가 유지됐지만, 그 추세는 점점 세리카 쪽으로 기울었다.

세리카의 【OVER CHRONO ACCEL】이 이 공간을 지배해가고 있었기 때문이다.

"큭?! 시천신비의 이중발동?! 트, 틀렸어! 내 마술의 모든 시간 파라미터가 제로가 돼버릴 거야!"

"······괜찮아, 티투스."

그런 마왕을 격려한 것은 뒤에 서 있는 레 파리아였다.

"당신은 강해. 저딴 거에 질 리 없어."

"······?!"

레 파리아도 남루스와 마찬가지로 육체가 거의 소멸한 상태로 티투스를 지원했다.

단순한 마력 강화였지만, 전세는 단숨에 마왕 쪽으로 기울었다.

완전히 역전된 상황.

시간의 지배를 넘어서 공간이 뒤틀렸다.

세리카의 【익스팅션 노바】가 밀리기 시작했다. 그 힘이 향하는 곳이 공간 왜곡에 의해 그녀를 향하기 시작했다.

"너희들 맘대로 하게 놔둘까봐?!"

그러자 르 실바가 갑자기 글렌을 껴안더니 단숨에 예속 계약을 맺었다.

"글렌! 내 새로운 마스터! 내 마력도 가져가! 전부!"

"우오오오오오오오오오오오오오오오오오오오!"

르 실바의 마력을 양도받은 글렌은 다시 【OVER CHRONO ACCEL】에 마력을 퍼부었다.

"이게…… 무슨?!"

하지만 세리카가 밀리는 속도가 조금 완만해졌을 뿐, 멈추지는 않았다.

밀리는 것을 막을 수 없었다.

마왕의 【INFINITE ZERO DRIVE】가 【OVER CHRONO ACCEL】를 압도하며 침식하기 시작했다.

"트, 틀린 거야?! 이렇게까지 해도…… 무리였던 거냐고!"

남루스는 이제 거의 소멸한 상태였다.

르 실바의 마력도 거의 고갈.

게다가 세리카에게 남겨진 시간도 거의 없었지만, 이젠 손쓸 방법이 전혀 없었다.

"제길! 빌어먹으으으으으으으으으을!"

"아하하하하하! 아하하하하하하하하하하하하하하하하하하!"

절망이 지배한 공간에 그저 마왕의 자신감 넘치는 웃음만 크게 울려 퍼졌다.

"마지막에 예상치 못한 일이 일어나서 간담이 서늘해졌지만…… 내 승리야! 아하하하하하하하하하하하하하하하하하하하하!"

사면초가. 모두가 그 단어를 떠올린 순간.

"……아직이야!"

챙그랑!

이계로 변한 공간에 갑자기 균열이 생기더니 강대한 빛의 바람이 불어오는 동시에 한 소녀가 강림했다.

"시스티나?!"

"말도 안 돼! 대체 어떻게 이 공간에 들어온 거지?! 네 빈약한 마술로는 이 장소에 개입할 수 있을 리가……!"

또 예상 밖의 사태가 일어나자 마왕이 동요했다.

하지만 시스티나는 무시하고 바람을 두른 채 광속으로 선회하더니 글렌의 뒤에 착지해 그의 어깨를 왼손으로 단단히 붙잡았다.

"끝을 내주세요, 선생님!"

대체 조금 못 본 사이에 무슨 일이 있었던 건지 무서울 정도로 위계가 상승한 시스티나의 강대한 마력이 인정사정없이 글렌의 몸으로 흘러들어왔다.

글렌은 경악하면서도 그 마력을 능숙하게 제어해서【OVER CHRONO ACCEL】에 퍼부었다.

"하아아아아아아아아아아아아아아아아아앗!"

그렇게 글렌이 자신의 모든 것을 퍼부은 순간.

밀리고 있던【OVER CHRONO ACCEL】이 서서히【INFINITE ZERO DRIVE】를 밀어냈다.

그리고 어느 지점에 도달한 그것은 그때부터 폭발적인 기세로 공간을 제압하기 시작했다.

마왕의【INFINITE ZERO DRIVE】를 무한한 저편으로 밀어붙인【OVER CHRONO ACCEL】이 단숨에 세계를 지배해버린 것이다.

"아……."

"……거짓말."

굳어버린 마왕과 레 파리아.

때는 이미 늦었다.

지금의 세리카는 시간의 왕.

지금 이 순간, 이 공간에서 그녀를 이기는 건 신조차 불가능했다.

"하아아아아아아아아아아아아아아아아아아아앗!"

그렇게 세리카가 마지막 힘을 쏟아붓자, 【익스팅션 노바】
의 빛이 마왕과 레 파리아를 정면에서 집어삼켰다.

"……아……."

빛에 감싸인 둘의 존재가 서서히, 서서히 이 세상 모든 것
을 새하얗게 물들이는 눈부신 빛 속으로 녹기 시작했다.

"……이, 이럴 수가……."

이제 마왕은 믿을 수 없다는 얼굴로 자신의 패배를 받아
들일 수밖에 없었다.

"……말도…… 안 돼! 내가…… 이 내가아아아아아아!"

"시끄러워! 냉큼 꺼지라고! 이 패배자 놈아!"

만약을 위해 세리카가 술식의 출력을 올리자 빛이 세상에
더 흘러넘치고 마왕과 레 파리아가 소멸되었다.

먼지 하나 남기지 못하고.

……이렇게 지금 이 순간, 길고 긴 암흑시대가 마침내 종
지부를 찍은 것이다.

―――――.

종장 롤랑 엘트리아는 이렇게 말했다

마도 멜갈리우스의 민중이 하늘을 올려다보았다.

하늘을 우러르며 술렁였다.

"어, 어떻게 된 거지?"

"……이긴 건가?"

하늘에 뜬 환영의 천공성에서 전개된 마치 꿈같았던 싸움.

아득히 먼 하늘 저편에서 하룻밤 내내 이어진 길고 긴 싸움.

그들은 그야말로 꿈을 꾸는 듯한 기분으로 하늘을 하염없이 응시하고 있었다.

붉은 머리 소녀, 이바 이그나이트도 그저 가만히 하늘만 올려다보고 있었다.

지금 시각은, 여명.

긴 밤이 끝을 고하고 오늘의 해가 지평선 너머에서 얼굴을 드러내며 흐릿해진 어둠의 베일을 서서히 걷어내고 있었다.

대지를 울리며 서서히 땅속으로 가라앉는 《비탄의 탑》.

상쾌한 아침 해가 그런 탑의 전경을 찬란하게 비추었다.

그 광경과 땅울림은 하나의 시대가 끝을 고하는 나팔소리이자, 새로운 시대의 시작을 고하는 최고의 산성(産聲)이기도 했다.

　그리고 이바는 눈물을 흘리며 곁에 있는 부모에게 말했다.
　"있잖아. 아빠…… 엄마…… 난 어른이 되면 그 사람들 같
은……."

　──────.

　바람이 불었다.
　주인을 잃은 멜갈리우스의 천공성에 바람이 소리를 내며
불고 있었다.
　아침 해가 어둠을 걷어내는 가운데, 차가우면서도 왠지
기분 좋은 바람이.
　"……."
　그런 광경 한복판에 세리카는 말없이 서 있었다.
　일행에게 등을 돌린 채 조용히 서 있었다.
　"……세리카."
　그러자 왠지 지치고 외로워 보이는 그녀의 모습에 불길한
예감이 든 글렌은 입을 열었다.
　"……야, 왜 그래? 싸움은 끝났잖아. 뭐라고 말 좀 해봐."
　"……."
　"저기, 이걸로 전부 끝난 거지? 그럼 돌아가자. 우리랑 함께."

"……"

"다들 기다리고 있다고. 네가 돌아오는 걸."

"……"

"야…… 뭐라고 말 좀 해."

"……"

세리카를 향해 한 걸음 내딛은 글렌은 문득 어떤 사실을 떠올렸다.

"……너…… 설마?"

"……"

예감은 있었다.

【OVER CHRONO ACCEL】. 그리고 【SOUL SONG SACRIFICE】.

인간의 몸으로 그런 분수에 맞지 않는 대마술을 써가며 마왕과 싸운 것이다.

그럴 가능성이 충분히 있기보다…… 분명 그렇게 되는 게 필연이리라.

그 사실을 깨달은 글렌의 목소리가 거칠어졌다.

"거짓말……이지? 세리카! 너, 장난치는 거지?!"

"……"

"세리카아아아아아아아아아아아아!"

더는 가만히 있을 수 없게 된 글렌이 달려가려던 순간.

"큭! 크크크……!"

갑자기 세리카가 고개를 떨구며 어깨를 떨었다.

"아하하하하하하하하하하! 어떠냐, 마왕! 나한테 덤비니까 이렇게 되는 거라고! 꼴좋다! 바~보! 바~보! 꺄하하하하하하하하하하하하하하하하하하하하하하하!"

그리고 갑자기 마구 웃어대기 시작했다.

"세, 세리카……?"

"응? 뭐야, 글렌. 넌 또 왜 울려고 그래?"

그제야 입을 떡 벌린 글렌의 얼굴을 본 세리카는 사악하게 웃으며 도발했다.

"아, 너 혹시…… 내가 이대로 사라져버릴 줄 안 거야?! 큭크크크크!"

"야, 너……?!"

"참 나, 넌 아직도 마더콘이구나? 그래그래. 엄마가 걱정됐어요~?"

"까 불 지 마아아아아아아아아아아아아아아!"

그러자 바로 글렌과 세리카가 엎치락뒤치락 싸우기 시작했다.

"다행이다……."

그런 여느 때와 다름없는 둘을 본 시스티나는 안도의 한숨을 내쉬었다.

"……세리카. 일단은 무사한 모양이네."

그리고 남루스는 둘을 향해 말을 걸었다.

그녀의 몸은 이미 완전히 사라져서 글렌이 잘 아는 모습인 반투명한 영체 상태가 되어 있었다.

"그래, 간신히. 이 녀석 덕분이야."

세리카는 글렌을 가리키며 장난스럽게 대답했다.

"꽤 아슬아슬했지만…… 영혼이 다 타버리기 전에 어떻게든 이겼어. 뭐, 생존 가능한 한계선까지 써버렸으니 더는 무리겠지."

그리고 끄응~ 하며 기지개를 켰다.

"내 마술능력은 거의 완전히 소실됐어. ……이제 마술사는 폐업이구만."

"세리카……."

글렌의 표정이 슬프게 일그러졌다.

마술능력의 소실. 마술사로서의 죽음을 맞이한 세리카.

그만한 기적을 일궈냈으니 대가로서는 타당하리라.

하지만 줄곧 동경하고 목표로 삼았던 세계 최강의 제7계제 마술사를 잃고 만 잔혹한 결말에 글렌은 안타까움을 느낄 수밖에 없었다.

"……그런 표정 짓지 마. 난 조금도 후회 안 해."

세리카는 그런 글렌의 머리를 쓰다듬어 주었다.

"네 미래를 지켰으니까."

"세리카……."

"그리고…… 나, 어땠어?"

"······?"

"언젠가 그 설산에서 너와 약속했잖아? 지금부터라도 멋있는 정의의 마법사가 되어주겠다고."

"······!"

"어때? 나 멋있었지?"

글렌은 한순간 말문이 막혔지만, 곧 눈물을 쏟을 것 같은 얼굴로 웃으며 크게 외쳤다.

"그래! 아주 징글징글할 정도로 멋있었어! 넌 내······ 자랑스러운 최고의 스승님이야!"

그 대답을 들은 세리카는 한없이 따스하고 기쁜 얼굴로 웃었다.

―――.

이렇게 초마법문명이라 불린 아득히 먼 과거의 세계.

동화 『멜갈리우스의 마법사』의 이야기는 조용히 막을 내렸다.

앞으로 이 시대가, 이 세계가 어떻게 되는지는 더 이상 글렌 일행이 관여할 일이 아니었다.

새 시대의 도래에 모두가 흥분하는 와중에 글렌 일행은 남몰래 세리카를 데리고 귀갓길에 올랐다.

"글렌."

"왜? 세리카."

"너…… 그 적마정석 지금 가지고 있냐? 네가 언젠가 나한테 줬던 거."

"응? 아, 이거? 자, 잊어버리지 말고 잘 챙겨."

"오…… 고맙다."

"참 나, 이제 두 번 다시 함부로 내팽개치지 말라고."

"응. 그래. ……알고 있어."

────.

그리고 일행은 타움의 천문신전 최심부인 대 플라네타리움실에 도착했다.

이 시대에서 만난 동료인 르 실바와 작별 인사도 마치자, 그녀는 플라네타리움 장치의 시공간 전이 기능을 기동했다.

"응, 준비됐어."

"후우~ 이제야 겨우 원래 시대로 돌아가는 건가. 피곤해……."

"그러게요! 하지만…… 전부 다 잘 풀려서 다행이에요!"

글렌은 하품을 했고, 시스티나는 기뻐했다.

여러모로 고생이 많았지만, 이제 와서는 전부 웃어넘길 수 있는 일이었다.

"······."

세리카는 그런 둘을 따스한 눈으로 지켜보았다.

"자, 그럼 돌아갈까. 르 실바······ 시작해."

"······응."

세리카가 눈짓을 보내자 르 실바는 조용히 고개를 끄덕이더니 장치를 조작하기 시작했다.

장치에 전원이 들어오자 주위에 막대한 마력이 흘러넘치기 시작하더니 발밑에 시공간을 넘는 《문》을 형성하는 마술법진이 서서히 구축되었다.

이것으로 전부 끝. 남은 건 미래로 돌아가는 것뿐.

글렌이 안도의 한숨을 내쉰 순간, 세리카가 갑자기 이런 말을 중얼거렸다.

"그럼, 글렌. ······잘 지내."

"어?"

예상치 못한 그 말에 글렌이 굳어버리자 세리카는 장치에서 가볍게 뛰어내렸다.

그러자 곧 시공간을 넘는 《문》이 열리더니 글렌과 시스티나**만**을 효과 범위 안에 넣었다.

이제 글렌과 시스티나는 《문》에서 나올 수 없었다.

그리고 시공간 전이 기능은 이미 카운트다운을 개시했다.

"앗?!"

"아, 아르포네아 교수님?! 대체 왜······!"

"……너희들과는 이걸로 작별이다."

세리카는 당황하는 둘에게 말했다.

"과거와 미래의 인과는 제대로 이어져야만 해. 그거 알아? 이 플라네타리움 장치는…… **앞으로 한 번만 더 쓰면 망가진다**는 거. 하지만 미래에선 사용 가능한 상태였잖아? 즉, 너희가 돌아간 후에 누군가가 고쳐야 해. 그래. 앞으로 한 번…… 아니, 너희도 올 테니 두 번인가. 앞으로 두 번의 전이를 버틸 수 있는 정도까진 고쳐야겠지."

"그래서 네가 남겠다고?!"

"맞아. 나 말고 이제 이걸 수리할 수 있는 인간은 아무도 없어. 그리고 난 이것 외에도 해야 할 일이 산더미처럼 많거든."

글렌의 고함에 세리카는 어깨를 으쓱였다.

"그리고 마왕을 쓰러트린 시점에서 나와 라 틸리카의 계약은 끊어졌어. 난 이제《이모탈리스트》가 아니야. ……그러니 이게 마지막이 되겠지. 글렌."

"잠깐! 돌아오는 거지? 수리하고, 일이 다 끝나면 너도 돌아올 거지?! 우리가 살던 시대로!"

"하하하, 무리야."

세리카는 힘없이 고개를 저었다.

"사실 이 고물 장치의 시공간 전이는 영혼에 막대한 부담을 줘. 너희들 같은 건전한 영혼이라면 또 모를까 내 영혼은 이미 너덜너덜해. 언제 죽어도 이상하지 않아. ……이젠……

더 이상 시공간 전이를 견디지 못해."

"뭐?! 그럼……!"

글렌은 조금 전부터 안타까운 표정으로 고개를 떨군 남루스를 쳐다보고 외쳤다.

"한 번 더 남루스와 계약해! 어째 반투명한 유령이 됐지만, 아마 가능하잖아? 다시 《이모탈리스트》가 되면……!"

"아직도 눈치 못 챈 거야? 글렌. 네가 어떻게 내 【OVER CHRONO ACCEL】을 쓸 수 있었는지."

"……어?"

"인과는 제대로, 전부, 확실히 이어져야만 해. ……라 틸리카."

"……정말로…… 괜찮겠어? 세리카."

남루스는 슬픈 얼굴로 세리카에게 물었다.

"해."

"……."

세리카의 결심이 흔들리지 않는 것을 느낀 남루스는 말없이 글렌을 향해 다가갔다.

그리고 문 너머의 글렌에게 손을 대고 이렇게 중얼거렸다.

"……접속. 계약 대상: 글렌 레이더스. 나 《천공의 타움》의 한쪽 라 틸리카는 현 시각·현 시점부로 대상을 내 주인으로 삼는다. 이 계약은 동축·동차원체 전부가 대상으로 유효. 앞으로 잘 부탁할게, 마이 마스터……."

"이, 이게 무슨……."

"동시에…… 이걸로 결국 난 활동한계에 도달했어. ……한동안 난 강제적인 휴면 상태에 들어갈 거야. ……각지의 레이라인과 동화해서 능력이 회복되는 걸 기다릴 수밖에. 그럼 5853년 후에…… 다시 만나자……."

그 말을 끝으로 남루스는 몹시 졸린 듯 천천히 눈을 감았다.

그러자 그녀의 존재가 점점 희박해지더니 이윽고 완전히 자취를 감추었다.

"야…… 지금 이건 설마……."

"그래. 이 시점에서 너와 라 틸리카의 계약이 성립된 거야."

세리카는 몸을 떠는 글렌에게 설명했다.

"이 세계의 인과와 단절된 장소인 외우주…… 그곳에 존재하는 신인 라 틸리카와의 계약은 인과의 전후 관계가 문제가 되지 않아. 그 녀석과의 계약은 이 세계선상에 존재하는 글렌 레이더스라는 존재 그 자체에게 적용되니까. 그러니 미래에서 온 네가 라 틸리카의 권능을 쓸 수 있었던 거야. 물론 본격적으로 권능을 쓸 수 있는 건 이 시점부터겠지만."

"아, 아……."

글렌은 그제야 미래의 남루스가 자신을 가끔 마스터라 불렀던 사실을 떠올렸다.

"좀 무책임한 것 같아서 마음이 아프다만…… 뒷일은 너희 몫이야."

세리카는 쓴웃음을 흘렸다.

"미래는 지금 엉망이 됐잖아? 그래도 걱정하지 마. 너희들이라면 분명 그 너머의 미래로 연결할 수 있을 테니까. 난 그렇게 믿고 있어. 그러니…… 힘내라."

"웃기지 마! 웃기지 말라고! 세리카……!"

글렌은 충동적으로 마총 《페네트레이터》를 뽑아 장치에 총구를 가져다 댔다.

"서, 선생님……?!"

"뭐, 뭐하는 거야?!"

그 폭거에 시스티나와 르 실바는 굳어버릴 수밖에 없었다.

"……그렇군. 네 오리지널이라면 파괴하는 것도 가능하겠어."

갑작스러운 긴장 상태가 조성됐지만, 당사자는 그저 웃기만 할 뿐이었다.

"하지만…… 그걸로 파괴하면 수복하는 건 불가능해."

"……."

"지금 파괴하면 넌 이 시대에 남겨져. 인과가 이어지지 않으니 미래가 어떻게 될진 알 수 없지만…… 일단 넌 나와 함께 있을 수 있어. 미래로 향하지 않는, 닫힌 모형정원 같은 세계가 될지도 모르지만……."

"……."

"미래냐. 나냐. ……중대한 선택지네. ……어느 쪽을 취할 거지? 글렌."

"……!"

부들부들 떨면서 총을 겨눈 글렌을 시스티나와 르 실바는 마른 침을 삼키며 지켜보았다.

"솔직히 말해…… 난 네가 그 방아쇠를 당겼으면 좋겠어. 이 시대에 남았으면 해. 닫힌 세계라도 상관없어. ……너와 함께 있을 수 있다면."

"……."

"하지만…… 넌 분명 그렇게 하지 않겠지? 그야 넌 내 자랑스러운…… 최고의 제자인걸."

세리카가 약간 물기 어린 눈으로 그렇게 말한 순간.

"……세리……카!"

글렌은 서서히 총구를 내리고 말았다.

눈물을 뚝뚝 흘리며 힘없이 어깨를 늘어트리고 말았다.

"……그래, 착하지."

세리카가 작게 웃음을 터트렸다.

이러는 사이에도 《문》의 마력은 상승하고 있었다.

시공간 전이 술식이 천천히 완성되며 작별의 시간도 다가왔다.

"……이제 곧이군."

세리카는 장치를 올려다보며 말했다.

"그럼 잘 가! 이러니저러니 해도 너와 함께 했던 생활은! 즐거웠어, 글렌!"

그리고 태양처럼 밝게 웃었다.

"널 만나서 정말 다행이야! 널 만나서 행복했어! 잘 지내! 적당히 세계를 구하고, 적당히 좋은 혼처를 구해서 행복해 져! 글……."

하지만 그 순간.

"어머니!"

"……?!"

글렌의 외침에 세리카가 눈을 크게 뜰 수밖에 없었다.

사실 이건 어린 글렌을 거두어들였을 때부터 지금까지 단 한 번도 불린 적 없는 호칭이었기 때문이다.

"난……싫어, 어머니! 마더콘이라고 불려도 상관없어! 난 당신과 함께 있고 싶다고! 어째서야! 대체 왜 이렇게 되는 건데! 제길! 빌어먹을! 으아아아아아아아아아아!"

그러자 세리카의 눈에서도 굵은 눈물방울이 떨어지기 시 작했다.

"바보…… 모처럼 마지막엔 웃는 얼굴로 보내주려고…… 했는데……! 이 바보 제자…… 이 바보 아들내미가……!"

두 모자는 떨면서 눈물을 흘렸다.

"왜 이럴까? 우린 이토록, 이토록 가까이 있는데……."

《문》 너머로 세리카와 글렌의 손이 포개어졌다.

"······왜 이렇게 멀게 느껴지는 거지?"

"······!"

그리고 결국 작별의 시간이 찾아왔다.

《문》의 기능이 발동하며 글렌과 시스티나의 시공간 전이가 시작되었다.

"······이제 시간이 됐나. 쓸쓸해지겠군. 괴로워지겠어······."

세리카가 힘없이 고개를 떨구었다.

"난······ 포기 안 해."

하지만 글렌의 중얼거림을 듣고 곧 고개를 쳐들었다.

"몇 년이 걸리든 상관없어. 몇십 년······ 몇백 년······ 몇천 년이 걸려도 좋아! 내가······ 언젠가 반드시 널 데리러 올게! 반드시······!"

그렇게 말하는 글렌은 울고 있었지만, 그 눈에는 흔들림 없는 의지가 깃들어 있었다.

그 모습을 본 세리카는 눈을 깜빡이더니 곧 웃을 수밖에 없었다.

"그래······ 기다릴게."

"······세리카!"

"그럼 마지막으로 나눌 말은 작별 인사가 아니겠군."

"응······."

그게 무리라는 건 서로 알고 있었다.

하지만 그럼에도 약속하지 않을 수 없었다.

그래서…….

""……또 보자.""

그 인삿말을 마지막으로 글렌의 시야가 새하얗게 물들기 시작했다.

그리고—.

—————.

그 동화 『멜갈리우스의 마법사』의 저자 롤랑 엘트리아는 권말에 이런 글귀를 남겼다.

―이 이야기는 이미 끝난 이야기이며, 결말은 정해져 있다.

―결론부터 말하자면 이 이야기에 구원은 존재하지 않는다.

―결국 마법사는 공주를 구하지 못했다. 사명을 이룬 후 사랑하는 사람도, 친구도, 모든 것을 잃은 그는 실의에 잠긴 채 역사의 무대에서 완전히 자취를 감추었고, 홀로 고독한 죽음을 맞이했다는 기술이 각지에서 발굴된 문헌에 산발적으로 남아 있다.

―위대한 위업을 이룬 위인치고는 너무나도 안타까운 결말을

맞이한 인물, 그것이 바로 마왕의 쓰러트린 『정의의 마법사』였던 것이다.

─그래서 난 마도 고고학자로서의 긍지를 잠시 집어넣고 하다 못해 이야기 속에서만이라도 행복해지도록 결말을 비틀었다.

─정의의 마법사는 마왕을 쓰러트리고, 공주님을 구하고, 모두와 행복하게 살았다. ……이것은 사실 거짓된 대단원인 것이다.

─실제로는 그저 아무런 구원도 받지 못한 비극이었던 것이다.

─허나.

─만약 이 글을 읽은 당신이 그런 비극적인 결말을 거부하겠다면…… 나는 여기에 어떤 사실 하나를 개시하도록 하겠다.

─그것은…….

────.

성력 1854년, 노바의 달 1일.

글렌과 시스티나가 과거로 날아간 시점에서 하루가 지난 세계.

문득 눈을 뜨자 그곳은 타움의 천문신전 최심부인 대 플라네타리움실이었다.

뒤에는 플라네타리움 장치가 있었지만, 더는 작동하지 않았다.

모든 기능이 정지했으니 이제 두 번 다시 쓸 수 없으리라.

'……그 녀석이…… 세리카가 이제 어디에도 없는…… 그런 시대로 우리는…… 돌아왔어.'

옆에는 왠지 진지한 얼굴의 시스티나.

그리고 눈앞에는 과거와 조금도 변하지 않은 모습으로 서 있는 르 실바와 등에 이형의 날개가 달린 소녀.

얼굴과 복장은 남루스 그 자체였지만, 왠지 분위기가 달랐다.

실체가 있었다.

애초에 저 금발과 부드러운 눈매는…….

"……선생님. 무사히 돌아오셨군요."

"너…… 루미아냐?"

글렌은 루미아가 남루스의 모습을 하고 있는 현실에 그저 경악할 수밖에 없었다.

『그 후로 많은 일이 있었거든. 정말 많은 일이.』

자세히 보니 남루스는 요정처럼 작아진 모습으로 루미아의 어깨에 앉아 있었다.

『현재 우리는 루미아의 몸을 루미아와 나, 두 사람의 정신으로 공유한 상태야. ……이걸로 루미아의 존재 자체를 보호하는 건 간신히 성공했어. 사실…….』

"루미아의 가장 위험한 부분을 그 마왕이 가져가버렸지만."

르 실바가 한숨을 내쉬며 보충했다.

"그토록 호언장담을 해놓고 이런 결과라니…… 면목이 없어."

"아, 아니에요. 남루스 씨와 르 실바 씨가 없었다면 전 지금쯤 또 다른 저에게 자아를 빼앗겨서 마왕을 섬기는 인형이 됐을 거예요. 이렇게 제가 자아를 유지하는 건 두 분 덕분이에요. 그게…… 전 인간이 아니게 됐긴 하지만요."

"……본인이 그렇게 말하니 부담감이 좀 덜하긴 해."

르 실바는 다시 한숨을 내쉬었다.

『루미아에게 무슨 일이 일어났고, 지금 루미아가 어떤 상태인지는 나중에 설명할게. 그보다 문제는 당신들이야. 글렌.』

루미아의 어깨에 앉은 남루스가 둘을 흘겨보며 말했다.

『……많은 일이 있었지? 정말 많은 일이……..』

"그래, 맞아. 많은 의문이 풀렸어. 네가 정보를 말하지 않은 게 아니라 말할 수 없었던 이유도 알았고."

남루스는 미래가 이상한 방향으로 바뀌는 것을 원치 않았기에 의미심장한 발언밖에 할 수 없었던 것이다.

"그리고…… 세리카의 과거를 추상(追想)하던 그 꿈의 정체도……."

그렇다. 글렌과 남루스는 처음부터 「인연」이 있었던 것이다.

그러기에 글렌은 그 「계약」에 의한 영적인 경로를 통해 남루스의 기억을 봤던 것이다.

언제나 늘 세리카와 함께 있었던 그녀의 기억을.

"선생님, 시스터…… 저기…… 역시 아르포네아 교수님은……."

"⋯⋯."

루미아가 조심스럽게 묻자 시스티나는 힘없이 고개를 저었다.

루미아는 슬픈 표정으로 시선을 내릴 수밖에 없었다.

『글렌. 당신은 나 《시간의 천사》라 틸리카의 계약을 세리카로부터 이어받았어."

"⋯⋯."

『지금까진 사실세계에 기반을 둔 예정된 계약 같은 거였지만, 지금의 당신은 실제로 계약을 경유했으니 내 권능을⋯⋯ 라 틸리카의 권능을 마술로 쓸 수 있게 됐어.』

"그리고 세리카는⋯⋯ 당신에게 이걸 남겼어."

갑자기 르 실바가 자신의 가슴에 손을 푹 찔러 넣었다.

피는 나오지 않았다. 아무래도 심령수술의 일종인 모양이다.

이윽고 몸 안을 뒤적인 그녀는 뭔가를 꺼내 글렌에게 보여주었다.

"그건⋯⋯."

낯익은 적마정석이었다.

"세리카는 본인의 마술 지식을 전부 그 마정석에 기록했어. 당신도 쓸 수 있게 잘 풀어서. 그러니 이젠 적마정석이 아니라⋯⋯ 《세계석》⋯⋯이라고 부르면 어떨까."

"⋯⋯."

말없이 그것을 받아든 글렌에게 남루스가 말했다.

『내 권능과 《세계석》. 물론 근본이 삼류 마술사인 당신은 세리카만큼 힘을 발휘할 수 없지만…… 그래도 지금의 당신은 「시간을 다루는 마술사」로선 한정적이나마 세계 최강이 될 수 있다고 생각하면 돼. ……그 힘을 어떻게 쓸지는 당신에게 달렸지만.』

"……."

『그래도…… 솔직히 너무 불리해. 방금 돌아온 당신은 모르겠지만…… 지금 페지테와…… 세계의 상황은…… 그게…….』

남루스와 루미아와 르 실바가 불안하게 시선을 내리깔았지만, 글렌은 고개를 들고 당당하게 말했다.

"괜찮아."

그 말과 표정은 결코 될 대로 되라는 식이 아니었다.

보는 이로 하여금 희망을 갖게 하는 단단한 의지와 신념의 빛으로 가득했다.

"그 바보 마왕 자식이 여태껏 제 마음대로 일을 저질러주신 모양인데…… 이제 슬슬 이런 시시한 촌극에 다 같이 태클을 걸어주자고. 아…… 그래."

글렌은 씨익 웃으며 선언했다.

"구호는 「바보 같은 소동을 슬슬 끝내보자」로 가자!"

"……!"

그 말을 들은 순간.

"예! 물론이죠, 선생님!"

"저희가 막을 내리는 거예요!"

시스티나와 루미아가 기운차게 대답했다.

루미아의 어깨에 앉은 남루스와 르 실바도 서로 마주 보며 쓴웃음을 흘렸다.

"그런고로 단숨에 가보실까!"

글렌은 《세계석》을 쥔 주먹을 들고 빠르게 주문을 영창했다.

그러자 마력이 모이더니 눈앞에 《문》이 열렸다.

"페지테 직통 지름길이야! 즉흥으로 만들어봤어!"

"어?! 선생님, 이제 이런 것도 할 수 있으신 거예요?! 굉장해요!"

"백 퍼센트 빌린 힘이지만 말이지! 하지만 이 소동을 끝내기 위해 실컷 내키는 대로 써주마!"

그렇게 말한 글렌이 단숨에 문을 통과했고, 시스티나와 루미아도 서로 고개를 끄덕인 후 뒤를 따랐다.

"……세리카."

글렌은 문 내부의 통로, 빛의 다리가 이어진 무한한 우주를 달리며 생각에 잠겼다.

'……이제야, 이제야 겨우 보이기 시작했어. 내가 되고 싶었던 것과 해야 할 일이. 전부 네 덕분이야. 이런 못난 날 지금까지 인내심 있게 돌봐줘서 고마워. 그리고 지켜봐줘! 나와 네 거리는 이제 한없이 멀어졌지만…… 5853년은 너무 멀지만…… 그래도 너와 내 마음은 함께야! 우리는 함께 돌아온 거라고!'

물론 슬펐다. 슬프지 않을 리 없었다.

영혼 일부가 떨어져 나간 것 같은 상실감이 가슴속을 차지했다.

방심하면 지금도 주저앉아서 울어버릴지도 몰랐다.

하지만 아직은 아니다.

그런 한심한 꼴로는 가슴 펴고 그 사람의 제자임을 자부할 수 없을 테니까.

그러하기에 《세계석》을 강하게 쥔 글렌은 따스한 추억과 함께 위풍당당한 모습으로 페지테에 귀환할 수 있었다.

—————.

—————.

연중 그치지 않는 눈보라와 눈과 얼음으로 뒤덮인 땅.

훗날 스노리아라 불리게 될 극한의 벽지에 있는 산간.

어느 동굴 안에 몰래 숨기듯 세운 작은 신전 안에는 세리카와 르 실바가 있었다.

"……여기 오기까지 시간이 꽤 걸렸군."

"세리카……."

"난 마력을 잃었으니 말야. 그 대신 네 신세를 졌군."

"아니야. 난……."

르 실바는 사각추 형태의 거대한 제단 위에 서 있었다.

"미래의 글렌을 위해 할 일은 전부 했어."

"응. ……당신의 적마정석은 잘 챙겨뒀어."

그녀는 가슴에 손을 대며 말했다.

"남은 건…… 르 실바. 널 여기에 봉인하는 것뿐이야."

"……"

세리카가 품속에서 꺼낸 「하얀 열쇠」를 본 르 실바는 진지하게 고개를 끄덕였다.

"미안. 멜갈리우스의 천공성으로 이어지는 《예지의 문》은 닫아야 해. 그 장소는 지금의 인간이 손을 대기에 너무 일러."

"……맞아."

"《백은룡장》으로서의 네 존재가 그 문의 열쇠야. 《백은룡장》이 현세에 있으면 그 문이 닫혀. 즉, 널 한 번 《백은룡장》으로 되돌릴 필요가 있는 셈이지."

"응. 알고 있어. 마왕이 날 그런 존재로 바꿨으니까. 하지만 그 열쇠는 마왕의 저열하고 사악한 의지의 집합체. 그것에 찔리면 난 자아를 잃고 말아. 아마 혼탁해진 의식 속에서 충동이 이끄는 대로 날뛸 거라고 생각해. 그래서…… 날 봉인하는 거지? 다양한 조건을 붙여서."

"그래. 먼 미래…… 우린 여기에 오게 될 거야. 그게…… 지금 먼저 사과해둘게. 좀 거친 방법이 될 테지만…… 뭐, 아무튼 네 봉인이 풀려서 넌 정신을 차리게 될 거야. 그때는…… 아무쪼록 글렌을 도와줬으면 해. 그리고 난······ 그때 강제적인 시공간 전이의 쇼크로 기억이 대부분 날아간 상태일 테니······ 계획대로 진행해줘."

"응. 맡겨줘. 당신의 기억을 되돌릴 열쇠도 받았으니까."

르 실바는 방긋 웃으며 대답했다.

"······이제 작별이네."

"그래."

그리고 기도하듯 손을 맞잡은 자세로 무릎을 꿇자 세리카가 열쇠를 세워들었다.

르 실바는 마지막으로 이런 말을 입에 담았다.

"저기, 세리카."

"왜?"

"당신의 인생은······ 정말 이걸로 괜찮았던 거야?"

"······."

"좀 더 타협했으면······ 좀 더 이기적으로 살았으면······ 당신은 얼마든지 행복해질 수 있었어. 그런데 당신은······."

"아니."

하지만 세리카는 온화하게 웃으며 대답했다.

"우여곡절이 있긴 했지만, 난 내가 걸어온 길과 선택을 조금도 후회하지 않아. 그 무엇에도 속박되지 않고 자유롭게 살 수 있어서 만족했어. 내 인생은 틀림없이 둘도 없는 행복으로 가득했어. 이런 나에게는 아까울 정도로."

"······그래. 그럼······ 다행이네."

르 실바가 물기 어린 눈으로 미소 지었다.

그리고 세리카는 그녀의 가슴에 열쇠를 꽂았다.

그 「열쇠」가 르 실바의 몸속으로 파고들자 그녀의 몸이 변하기 시작했다.

팔에 은백색 비늘이 돋아나고 몸이 팽창하자 르 실비는 고통스럽게 표정을 일그러트렸다.

"……괜찮아."

하지만 안심시키듯 그렇게 말한 세리카는 품속에서 파피루스 스크롤을 꺼낸 후 거기 적힌 주문을 작게 영창했다.

그러자 스크롤에 담긴 마력이 해방되더니 르 실바의 몸이 원래대로 돌아왔고, 영구빙정이 그 작은 몸을 뒤덮기 시작했다.

"……아아, 정말 작별이구나……."

"그래."

르 실바는 쓸쓸하게 미소지었다.

"난 있지, 당신이 좋았어. 목적이야 어쨌든…… 그걸 향해 노력하는 당신을 정말 좋아했어."

"……"

"……내가 지킬게. 당신의 소중한 사람과 그 사람이 나아갈 미래를…… 전력을 다해서 지킬 테니…… 그러니 안심해, 세리카……."

"그래…… 잘 부탁하마. 고맙다, 나의 벗."

"……!"

그 말에 놀란 듯 눈을 크게 떴던 르 실바는 곧 방긋 미소 지었다.

이윽고 르 실바는 거대한 영구빙정 안에서 조용히 잠들었다.

세리카는 그 자리를 떠나며 아무에게도 들리지 않을 혼잣말을 중얼거렸다.

"……내 이야기는 이걸로 전부 끝났어. 이제는 글렌, 너희들의 이야기야. 이 앞은 너희가 이야기를 써 나가는 거야. 복선 따윈 엉망이어도 상관없고 드라마틱하고 감동적인 전개나 결말도 필요 없어. ……오직 행복한 결말을. 모두가 웃을 수 있는 결말을. 굉장히 어렵겠지만…… 너라면 분명 해낼 수 있을 거야. 그러니……."

그리고 세리카는 천천히 동굴 안쪽을 향해 하염없이 걸어갔다.

그저 만족스러운 미소를 머금은 채.

————.

마왕을 쓰러트리고 세계를 구한 위대한 「마법사」.

많은 이를 죽이고, 많은 이를 구하고, 많은 고뇌를 품고, 많은 일을 이뤄낸 「마법사」.

그 후 그자의 모습을 본 자는…… 아무도 없었다.

안녕하세요, 히츠지 타로입니다.

변변찮은 마술강사와 금기교전 19권이 발매되었습니다.

편집자님 및 출판 관계자 여러분, 그리고 이 시리즈를 지지해주시는 독자 여러분께 무한한 감사를.

19권! 드디어 20권까지 앞으로 한 권!

그리고 일단 여러분께 한마디!

전에 어딘가에서 이 시리즈는 20권으로 완결될 거란 말을 한 적이 있습니다만, 이거 20권으론 끝이 안 나겠네요! 조금 더 계속될 것 같습니다!

그건 일단 제쳐두고.

이야~ 이 19권. 결국 올 게 왔다는 느낌입니다. 지금까지 쌓은 복선의 총결산, 『변마금』 작중 최대의 수수께끼였던 세리카에 관한 진실이 밝혀졌습니다.

뭐, 용케 여기까지 왔다. 애썼구나, 나! 하고 자신을 칭찬해주고 싶네요.

하지만 이야기는 아직 끝난 게 아닙니다.

아직도 많은 수수께끼와 복선이 남아 있고 『변마금』의 주인공 글렌에게 맡겨진 이 이야기의 근본 테마의 보완도 남아 있으니까요.

수많은 생각을 짊어진 글렌은 이 이야기 끝에 과연 무엇을 보고 무엇을 얻게 될 것인지…… 작가로선 독자 여러분이 글렌과 그 동료들의 모험과 싸움을 마지막까지 함께 해주신다면 최고로 행복할 것 같습니다.

앞으로도 열심히 쓸 테니 잘 부탁드립니다!

그리고 이 시리즈의 첫 화집인 『변변찮은 마술강사와 회화회상과 신작 『옛 원칙의 마법기사 II』도 발매되니 괜찮으시다면 그쪽도 읽어주시길!

twitter서 생존 보고 등을 하고 있으니 쪽지나 댓글로 작품에 대한 감상이나 응원을 남겨주신다면 정말 기쁠 것 같습니다. 유저명은 『@Taro_hituji』입니다.

그럼! 다음 20권에서 다시 만나죠!

히츠지 타로

■ 역자 후기

이 시리즈의 수많은 복선이 일거에 해결된 이 19권, 재미있게 읽어주셨을까요?

개인적으로 작업하면서 눈시울이 붉어지느라 고생이 많았던 이번 권입니다만, 아무래도 스포일러가 될 테니 주요 줄거리에 관한 부분은 어쩔 수 없이 생략하고 디테일적인 면에서 생각나는 부분들을 적어볼까 하네요.

일단, 특이체질 때문에 그 정체에 관해 이런저런 추측이 많은 글렌입니다만. 전 개인적으로 글렌이 처음부터 뭔가 대단한 존재였다기보단 이번 권에서 밝혀진 시공간을 초월하는 계약의 성질상 그런 체질이 된 게 아닐까 하는 생각이 들었습니다. 원인은 전부 남루스! 물론 아직 결말이 나진 않았으니 정확한 건 알 수 없지만요. 그래도 정말 그렇다면 앙리에타와의 그 악연은……

그리고 이번 권을 통해 주역 삼인방이 정말 어마어마한 파워업을 이뤄냈습니다. 그동안 정말 넝마처럼 굴러다니던 글렌과 마음고생을 심하게 하던 시스티나를 생각하면 눈물이 앞을…… 물론 적도 그만큼 강해진 만큼 큰 변화가 없을지도 모르지만요. 그래도 양민학살(물론 대상은 적)이라도 가능해진 게 어떤가 싶습니다. 루미아는 아직 정확한 건 안 나왔지만, 아무래도 아우터 갓의 몸을 얻게 된 듯하니 약할 리는…… 없겠죠? 그리고 그 밖에도 일러스트가 예상보다 훨씬 귀여웠던 르 실바도 정규 멤버로 편입됐으니 앞으로 많은 활약을 했으면 좋겠습니다. ……난 아군이 된 적의 법칙 같은 건 믿지 않아.

아무튼 앞으로도 결말을 향해 쭉쭉 나아갈 금기교전 시리즈, 그 20권에서도 뵐 수 있기를 바라며 이만 후기를 마칩니다.

변변찮은 마술강사와 금기교전 19

초판 1쇄 발행 2022년 9월 10일

지은이_ Taro Hitsuji
일러스트_ Kurone Mishima
옮긴이_ 최승원

발행인_ 신현호
편집장_ 김승신
편집진행_ 권세라 · 최혁수 · 김경민 · 최정민
편집디자인_ 양우연
관리 · 영업_ 김민원

펴낸곳_ (주)디앤씨미디어
등록_ 2002년 4월 25일 제20-260호
주소_ 서울시 구로구 디지털로 26길 111 JnK디지털타워 503호
전화_ 02-333-2513(대표)
팩시밀리_ 02-333-2514
이메일_ lnovellove@naver.com
L노벨 공식 카페_ http://cafe.naver.com/lnovel11

ROKUDENASHI MAJYUTU KOSHI TO AKASHIC RECORDS Vol. 19
ⓒTaro Hitsuji, Kurone Mishima 2021
First published in Japan in 2021 by KADOKAWA CORPORATION. Tokyo.
Korean translation rights arranged with KADOKAWA CORPORATION. Tokyo.

ISBN 979-11-278-6540-5 04830
ISBN 979-11-86906-46-0 (세트)

값 7,800원